MW00773590

SER MUJER NEGRA EN ESPAÑA

SER MUJER NEGRA EN ESPAÑA

Desirée Bela-Lobedde

Papel certificado por el Forest Stewardship Council®

Primera edición: septiembre de 2018

Travessera de Gràcia, 47-49. 08021 Barcelona

Printed in Spain – Impreso en España

ISBN: 978-84-17001-65-0
Depósito legal: B-11.000-2018

Compuesto en Comptex & Ass., S. L.

Impreso en Black Print CPI Ibérica
Sant Andreu de la Barca (Barcelona)

P B 0 1 6 5 0

Penguin
Random House
Grupo Editorial

Índice

EDAD ADULTA

A Madre y a Papá, por darme la Vida y ser dos guías maravillosos.

A Rôbbe, el mejor hermano que puedo tener.

A mis hijas, Àfrica Uri y Enoâ, porque ellas me abrieron el camino.

A Gi y Ro, por el amor incondicional y el apoyo técnico, virtual y, sobre todo, por ser familia.

A Bisila Bokoko, por hacerme ver la importancia del legado.

A Rubén y Asué, porque, a sabiendas o no, me han alentado y motivado a contar mi propia historia.

A Juanma, por encenderme la bombillita y por preparar las mejores croquetas del mundo.

A las Mujeres 3.0, por todo el apoyo, las confidencias, los debates, las discusiones, las risas y las reflexiones.

A Herbes, Peich, EvaZeta, Sara y Li, por estar siempre.

A mi equipo de Locas del Coño, por hacer siempre de escudo, por apoyar y contener y enseñarme tanto, siempre desde el amor.

A Nataly, mi brujita querida.

A Maite por el amor, a pesar de las idas y venidas. HBIC.

A mi grupo Mar de Luz, por todo el aliento. NMRK.

A Gonzalo Eltesch, mi editor, por la confianza, los cuidados y el entusiasmo. Y por creer en esta obra tanto como yo.

Y como no quiero olvidarme de nadie, a quienes creyeron en mí desde el principio.

Gracias por tanto.

Prólogo

Necesitar encontrarme entre tus páginas, en alguno de tus fotogramas. Abrir ventanas y luego puertas, quemar la casa. Sentir dolor y vacío. Reformarla con amistades nuevas, con mirada nueva, con añicos de alma pegados poquito a poco, mientras cantas, filmas, escribes y escapas del silencio para vivir, para contar. Cuando quieres encontrarte es que ya te buscas, y la búsqueda nace del desconcierto, del rechazo, de la falta de reconocimiento, de no encajar, y por eso descubrirte en tu amplitud, o iniciarte en el viaje para llegar a ti, es paz.

Esto último tiene que ver con la identidad, ese poliedro gigante que no deja de sumar caras y años al ser. Y cada cara, un mundo, y el mundo en una cara, depende de en qué momento vital nos hallemos o de qué parte de nosotras sintamos atacada.

Desirée habla de sí misma, de su proceso inconcluso y perpetuo de construcción, revisa su vida y le pone palabras, porqués. Ha escogido un título rotundo para su libro, *Ser mujer negra en España*, puesto que, por desgracia, su color ha sido el eje en torno al cual han girado demasiados aspectos de su existencia: la adolescencia, la relación con los chicos, su disgusto al mirarse al espejo y desear lo imposible: ser otra, todas sus heridas, también las físicas. Las mujeres negras necesitamos tiempo para entender lo que implica serlo, porque llevamos lo que dicen que somos atado a nuestros tobillos, y es como un grillete, pesa. A veces, claro, nos hace caer y acabamos con las rodillas llenas de arena, polvo, raspones y sangre.

Lo lógico sería pensar que con obviar lo que opinen los demás ya basta, pero no es tan sencillo. Los paradigmas mediáticos nos muestran infantilizadas, hipersexualizadas, vulnerabilizadas, teñidas de prejuicios y connotaciones, y no dejan espacio (porque existir, existen) a demasiados espejos en los que mirarnos, de modo que crecemos huérfanas de referentes reales, que vayan más allá de los que sí aparecen, que son, casi siempre, los estereotipados. Por eso no es raro que nos comenten que no somos como los demás, y que incluso nos lo creamos. Hasta que llega un momento en el que te planteas quiénes y cómo son los demás, y sientes que no solo no eres excepcional sino que, si «la demasidad» existe, tú formas parte de ella, y que en su seno cabe una diversidad infinita. Salir de la cárcel en la que, de una u otra manera, la sociedad, por el mero hecho de nacer, nos encierra a todos y cada uno de los seres humanos es doloroso, porque en ocasiones nos sentimos cómodos dentro. Romper los barrotes de tu celda implica tomar conciencia, y cuando lo haces colocas en su sitio muchos comportamientos, tanto ajenos como propios, lo que tiene consecuencias en tus relaciones. Esto, a priori, debería ser bueno; sin embargo, decir «hasta aquí» no siempre resulta agradable, sobre todo con las personas queridas.

La gente que ni nos conoce tiende a señalar cierto victimismo en nuestra actitud. Antes me sentaba fatal, pero en una conversación con la grandísima escritora costarricense Shirley Campbell Barr concluí que, en efecto, somos víctimas (unas más que otras, vaya por delante la asunción de mis privilegios por haber nacido en España y tener un DNI). Basta con echar un ojo a la historia para refrendar sus palabras. No obstante, tenemos la fuerza para levantarnos, responder y seguir caminando, si hace falta, llenas de cicatrices. Hablo en plural porque formar parte de un colectivo minorizado es eso, supongo, asumir que no somos «yoes» sino «nosotras». Ahí está el germen del activismo, en el bien colectivo, aunque parta de la necesidad imperiosa individual de ser entendida, de ver cabezas que asienten en lugar de ojos que interrogan, de recibir abrazos fraternos, en vez de excusas. Y luego quien abraza eres tú.

No hace mucho me pidieron colaborar en una performance en un festival llamado «Afroconciencia» que se celebra en Madrid. Se me ocurrió hablar de que la piel es una bandera, porque es un rasgo físico muy simbólico, la llevamos encima, cuenta mucho de nosotras, incluso cosas que no tenemos ni que saber, que no escogimos, pero que, para el resto, indefectiblemente, nos definen, nos hacen peligrosas, cercanas, amigas o enemigas. ¿Y saben qué? Que el pelo también. De hecho, es el mástil inseparable de la tela que es la dermis. Y yo he tardado mucho en caer en la cuenta, debo reconocerlo, quizá debido a que nunca me desricé, aunque quise (mi madre jamás me lo permitió) o a que, al tener el rizo grande, no entro en el club de las que tienen pelo malo, eso que se han inventado y que no existe. Con todo, es una tautología decir que no hay pelos malos, pero hace bien escucharlo. El cabello es hilo conductor en una historia de raza, racismo y empoderamiento. El cabello es política encarnada. Por eso es una excelente noticia que cada vez se desricen menos personas y se sientan cómodas con su pelo y en su piel, y que encuentren a mujeres como la autora de esta obra, que les ayuda a saber quiénes son y les recuerda que son bellas simplemente por ser.

Cuentas para vivir, por la necesidad de expresarte, de recordar que hay otras historias importantes y necesarias, y en ellas las leonas hablan y los cazadores callan y prestan atención. Con el tiempo, más serena, vives para contar: una charla, un blog, un libro, un vídeo, una canción... Se trata, pues, de una responsabilidad, con el objetivo de que las que vengan detrás puedan asirse al relato que tú no tuviste, que eso les dé fuerzas para crear el suyo, de forma que puedan enriquecer la contrahegemonía discursiva con más voces, con todas las voces. *Ser mujer negra en España*, de Desirée Bela-Lobedde, no es un anecdotario. Es el día a día de un sistema racista; tampoco es entretenimiento, sino conciencia y, sin embargo, por cómo está escrito, les resultará ameno, liviano y poderoso, puesto que su desnudo vital, ese que generosamente comparte con ustedes, les hará pensar.

Lucía Asué Mbomío Rubio
Periodista, reportera y autora de
Las que se atrevieron

Introducción

Una vez leí que escribir un libro no es difícil. Yo, por el momento, no puedo decirlo, pues este es mi primer intento. Bueno, confesaré que miento. En la adolescencia hice algún otro intento que quedó en eso: en intento.

Lo que sí hice durante mucho tiempo fue escribir relatos cortos. Resultaba más fácil. Llevo haciéndolo con más o menos frecuencia desde la adolescencia, y creo que eso cristalizó en 2011, cuando inicié la andadura con mi blog. Tal vez ya tenía alma de bloguera desde pequeña y no lo sabía. O tal vez el blog me permitió dar continuidad a mi afición por escribir relatos cortos... aunque de otra temática.

Siempre me han dicho que escribo y hablo bien, lo que me ha llevado a concluir que tal vez tengo un don para comunicar. Después de que muchas personas me lo hayan dicho, algunas de ellas profesionales de la comunicación, lo he asumido como eso, como un don. Me sale natural. No tengo que prepararlo mucho. Fluye. Sin embargo, aunque sienta que comunico con facilidad, escribir un libro es otra cosa. Y donde otras personas dicen que es fácil, yo todavía no he decidido si lo es o no. Sea fácil o difícil a los ojos de otras personas, para mí escribir un libro supone, de entrada, un verdadero reto. Lo es sobre todo porque se trata de escribir en primera persona y de mis propias vivencias. Pero no ambiciono escribir una autobiografía, no es esa la pretensión. La idea es otra. Este libro parte de uno de mis vídeos en Youtube, *Ser mujer negra en España.*[1] En él decidí dar la réplica a Ntasha7189 —este es su usuario en Youtube—,[2] una afroamericana que estaba viviendo y trabajando en España y decidió explicar cuál era su vivencia como mujer negra aquí. Vi el vídeo que hizo en Youtube y, tras pensarlo realmente muy poco, me di cuenta de que yo también podía hablar de ello. «Soy una mujer negra. Vivo en España. Es más: he nacido en España. Tal vez pueda contar cuáles son mis vivencias igual que ha hecho ella», pensé. Y me lancé.

De la idea de darle la réplica a Ntasha nació un vídeo que decidí publicar en dos partes de más o menos diez minutos cada una; pero también salieron muchas más cosas, algunas buenas y otras no tanto; mejor quedémonos con las buenas, ¿verdad? También me surgió la necesidad de hablar más de temas que, como mujer negra, me atañían. Y eso es lo que empecé a hacer cuando me dieron la posibilidad de colaborar en *Locas del Coño* a partir de enero de 2017.[3] Ahí dicen que hablo de feminismo negro. Yo no sé si catalogarlo así. En un plano mucho más práctico, me limito a decir, como digo cuando me presento en los directos en Twitter, que hablo de temas que me interesan y/o me afectan. Nada más.

Poco a poco fue tomando forma la idea de ir más allá de lo que era vivir en España siendo una mujer negra. Porque vivir siendo una mujer negra en España también implicaba hablar

1. Puedes ver mi vídeo en este enlace: <http://bit.ly/mujer-negra-esp>.

2. Este es el enlace al vídeo de Ntasha: <http://bit.ly/ntasha>.

3. *Locas del Coño* es una revista colaborativa digital feminista. Puedes leerla en <http://www.locarconio.com>.

de cómo había vivido la infancia, la adolescencia y la juventud. Y finalmente decidí que todo eso cabía en un libro que se titulase como este que tienes en tus manos.

Tengo que decir que una de las motivaciones para embarcarme en esta aventura ha sido el hecho de que, como dice Lucía Asué Mbomío,[4] ya es hora de que las personas que formamos parte de la comunidad afroespañola empecemos a contar nuestra historia.

Necesitamos nuestros propios relatos; necesitamos contar nuestra propia historia porque solo nosotros y nosotras, las personas negras que hemos nacido, crecido y vivido en España, podemos contarlas. Porque, si no la contamos las personas que pertenecemos a la comunidad africana y afrodescendiente, vendrán otras personas a contarla por nosotras. Así que encontrarás en este libro mis recuerdos y anécdotas de niña —y no tan niña— mezclados con reflexiones a las que he llegado en la edad adulta y que siento que necesito expresar y explicar, primero a mí misma y luego a ti, si quieres leerlas.

Y por eso este libro. Porque es mi historia, es mi relato. Y no la cuento tanto por relatar mi historia, sino porque esta es también la historia de muchas mujeres negras españolas de mi generación. Es la de muchas mujeres que han crecido viviendo situaciones muy similares a las que te voy a contar. Así que esta historia es, en realidad, nuestra Historia. Mi máxima pretensión es esta: si eres una persona negra, espero arrancarte al menos alguna que otra sonrisa nostálgica si te sientes reflejada en las anécdotas que relato. Si eres una persona blanca, espero que este libro te permita acercarte a mis vivencias, que

4. Lucía Asué Mbomío es periodista, reportera y autora del libro *Las que se atrevieron*, cuya lectura te recomiendo. Está publicado por el grupo editorial Sial Pigmalión. Léelo, por favor, porque es una lectura muy recomendable, además de necesaria.

son las de muchas mujeres negras de una misma generación, pues así es como siento que es ser una mujer negra en España.

Esto va a ser un contar anécdotas salpicadas de reflexiones y, a veces, incisos didácticos. Voy a intentar hacerlo como lo haría si estuviese contigo tomándonos una copa de vino, un té o lo que te guste tomar cuando quedas con alguien a quien hace mucho que no ves para ponerte al día. Así que ponte cómoda, que empezamos.

Vamos allá.

Primeros años

Nací a finales de 1978 en Barcelona. Sí, soy española aunque, por el color de mi piel, muchos dirían, dicen, que soy de cualquier otra parte. Por el color de mi piel he sido cubana, dominicana, brasileña... Cuando la gente intenta adivinar me sitúa en muchos sitios diferentes, en Estados Unidos también, claro, pero nunca en España. De eso ya te hablaré, no adelantemos acontecimientos.

Mis padres también son españoles. Lo digo porque cuando explico que soy «De Aquí», que nací en España, parece que algo no encaja. Y, en ese no encajar, hay personas que sienten la necesidad de ponerse a indagar en mi árbol genealógico. Entonces me preguntan por mis padres. Sí, ellos también son españoles. Ahí es cuando la historia les encaja todavía menos. Es que fíjate: si nos ponemos, hasta mis abuelos eran españoles. Y mis tatarabuelos. Y si nos remontamos hasta 1778 en el linaje de mi familia, todos mis ancestros eran españoles. Es lo que tiene que la familia sea de Guinea Ecuatorial. Guinea Ecuatorial es ese país chiquitito en el golfo de Guinea, África, que primero fue colonia española y después provincia. Como Ceuta y Melilla, pero más abajo.

Mis padres pertenecen al pueblo bubi, también llamado

boobe, así que yo también. Se conocieron en Barcelona. Mi madre venía a dar clases en un colegio; mi padre a terminar los estudios. Sus caminos se cruzaron; y, fruto de ese encuentro, servidora. Crecí siendo hija única de una madre soltera —mis padres apenas convivieron— que, finalizados sus estudios de Enfermería y con su titulación de Asistente Técnico Sanitario, trabajaba pluriempleada para pagar la hipoteca, los suministros y los gastos derivados de la maternidad. (No te lo he dicho mucho, Madre, aunque cada vez lo hago más: tienes todo mi reconocimiento, mi admiración y mi agradecimiento. Fin del inciso.)

De lunes a viernes, Madre trabajaba en el turno de mañana en el ambulatorio (sí, eso que ahora se llama Centro de Atención Primaria o simplemente Centro de Salud) del pueblito en el que vivíamos. Por las tardes hacía las veces de practicante, atendiendo a domicilio, tomando la presión arterial y poniendo inyecciones a su pequeña cartera de pacientes; y los fines de semana hacía sustituciones en el área de convalecientes en el geriátrico del hospital comarcal.

Con este ritmo de trabajo, mi madre decidió hacer conmigo lo mejor que podía hacer en aquel momento, ya que yo todavía no tenía edad para entrar en el colegio: ponerme al cuidado de la familia que vivía en el entresuelo de nuestro edificio. Mi Tata, la vecina, la mujer que me crió, era (bueno, es: porque la sigo considerando mi Tata y la sigo llamando así) una mujer andaluza, de Tarifa; su marido, Lolo, es de Vejer de la Frontera. Tuvieron tres hijos, la pequeña de los cuales es justo diez años mayor que yo. Yo fui su cuarta hija. La Tata trabajaba por las mañanas limpiando casas en un pueblito cercano. Por las tardes solía estar en casa, y yo con ella. Como mi madre trabajaba a todas horas, la Tata aprendió a peinarme. Aprendió a hacerme los mismos peinados con hilo que me hacía mi madre. No tengo muy claro cómo aprendió, porque no creo que mi madre tuviera tiempo de enseñarle, pero sé que la Tata me peinó en alguna ocasión.

La Tata cuidaba de mí como de sus otros tres hijos, aunque los dos mayores ya eran bastante independientes: me alimentaba, me bañaba, me vestía y me llevaba a dormir, y es que muchas veces, ya fuese para que mi madre pudiera descansar o por cualquier otro motivo, me quedaba a dormir en su casa. Puedo decir que tenía mi propia habitación en casa de la Tata. Una habitación en la que ella tenía su máquina de coser Singer y sus dos hijos mayores tenían el tocadiscos y un montonazo de vinilos. Mi cama nido estaba allí. Yo dormía toda la noche del tirón hasta que me despertaba por la mañana. Los fines de semana me metía en la cama de la Tata y de Lolo. La relación que tenía con ellos era la misma que cualquier niño o niña tiene con sus padres. Me metía en la cama y les daba la turra hasta que se levantaban. Cuando ya los había levantado, iba a la habitación de los chicos a molestar, también hasta sacarlos de la cama. Y cuando ya les había dado la lata lo suficiente, solo quedaba despertarla a ella: a mi hermanita mayor. Si por aquel entonces yo rondaba los dos años y pico, ella estaba en los doce. Mi hermano mediano y yo entrábamos en su habitación y nos poníamos a darle la lata hasta que, enfadadísima, salía de la cama. Todos levantados. La mocosa de la casa había conseguido su objetivo.

Recuerdo, vagamente, porque nunca he hecho gala de tener mucha memoria, que las tardes las pasaba en la cocina con la Tata. A veces me daba café con leche para merendar y hacíamos tortas. Las tortas se hacían de una mezcla de harina con agua, se les ponía ajonjolí (creo recordar) y se freían en la sartén. Me encantaba que la Tata hiciese tortas. Otras tardes íbamos a casa de sus padres, que vivían cerca. Los padres de la Tata se convirtieron también en mis yayos.

Siempre he dicho que no disfruté de abuelos, pero tengo

que reconocer que eso es faltar a la verdad. Desafortunadamente no pude disfrutar de mis abuelos biológicos. Nunca llegué a conocer a mis abuelos, ni a los maternos ni a los paternos; pero tenía al yayo Paco y a la yaya Dolores, que me hicieron las veces de abuelos.

Nunca he sabido qué pensaron los «yayos» la primera vez que su hija apareció en su casa cargando con una niñita negra. Nunca he sabido si le hicieron algún tipo de comentario o no. Solo sé que su actitud hacia mí era la de unos abuelos cariñosos al máximo. Jugaba al dominó con el «yayo», y la «yaya» me preparaba la merienda. Y así echábamos la tarde, entre partidas de dominó, historias y vasos de cafelito con leche.

El colegio

Madre seguía trabajando a todas horas. Estaba cansada de pagar a una canguro por la mañana (supongo) y de dejarme por las tardes a dormir (y muchos fines de semana) en casa de la Tata. Era hora de empezar a buscar colegio. El colegio de las RR Clarisas de la Divina Providencia era un centro educativo religioso y femenino. Era una escuela muy familiar y pequeña, de una sola línea, en la que las niñas íbamos uniformadas desde P3 (preescolar, tres años) hasta octavo de EGB (catorce años). Y fue en el que me admitieron a pesar de que en septiembre, cuando empezaba el curso, me faltaban dos meses y medio para cumplir los dos años.

Empecé así el curso con veintidós meses. Y, como por aquel entonces no había adaptación escolar ni nada que se le pareciera, desde el primer día de colegio me quedaba desde algo antes de las nueve, porque Madre tenía que entrar a trabajar, hasta pasadas las cinco de la tarde, que era cuando podía ir a recogerme. En ese tiempo ya no vivíamos en el mismo pueblito que la Tata, así que para cuando empecé el colegio mi familia cercana se redujo exclusivamente a mi madre. Ella iba todo el día de bólido, y a veces llegaba tarde a recogerme. Cuando eso pasaba, la cocinera del colegio, la señora Vicenta, me tenía con ella en la cocina y me daba de merendar pan con chocolate.

Yo era la única niña negra del colegio. Mientras estuve en preescolar fui la muñequita de las niñas más mayores, de séptimo y de octavo, que se pasaban el recreo llevándome en volandas de acá para allá. No tengo conciencia de si ir de brazo en brazo me incomodaba o no. Era lo que pasaba, sin más. No recuerdo que me molestase más de lo que les pudiera molestar a las otras niñas a las que las mayores también se pasaban de regazo en regazo porque ¡qué monas éramos! Quitando a las niñas mayores, para las que era una muñequita, no recuerdo que ninguna profesora ni ninguna monja me hiciera ningún comentario hiriente, discriminatorio o abiertamente racista. Y, en el caso de que me los hicieran, no fui consciente. Así que mi paso por el colegio fue igual de plácido o tortuoso que para el resto de mis compañeras. Las salidas culturales y las excursiones, fuera del entorno seguro del colegio, ya eran otra cosa.

La caridad

Si, como yo, fuiste a un colegio religioso, seguro que recuerdas todo el tema del Domund. Yo lo recuerdo. Si no fuiste a un colegio religioso y no lo viviste, siéntate, que te cuento. El Domund era, bueno, sigue siendo, la Jornada Mundial de las Misiones. Mira, vamos a hacerlo más fácil: si entras en su blog, el Blog del Domund,[5] podrás leer exactamente esto: «La Jornada Mundial de las Misiones, en España conocida como DOMUND, es una llamada de atención sobre la responsabilidad de todos los cristianos en la evangelización e invita a amar y apoyar la causa misionera. Los misioneros dan a conocer a todos el mensaje de Jesús, especialmente en aquellos lugares del mundo donde el Evangelio está en sus comienzos y la Iglesia aún no está asentada».

Esto es el Domund. Ahora que, con mis ojos y mi conciencia de adulta, leo esta definición, la verdad es que me horroriza bastante: ¿«Aquellos lugares del mundo donde el Evangelio está en sus comienzos y la Iglesia aún no está asentada»? Me suena tanto a colonización que mejor lo dejo correr.

De niña, lo que recuerdo era la recogida de comida. El co-

5. <http://www.domund.org>

legio enviaba una circular a las familias informando de que tal día se iba a hacer recogida de comida. Había que llevar pasta, arroz, legumbres, azúcar, galletas, cacao en polvo... alimentos no perecederos, ya sabes.

En las publicidades del Domund siempre aparecían niños y niñas no blancos. O sea, que la comida se recogía para ellos, para Los Negritos De África Que Se Mueren De Hambre. O ese era el mensaje. Yo me imaginaba que llenaban montones de aviones con la comida que recogían de todos los colegios y la llevaban adonde están esos niños que salían en el *merchandising* del Domund.

Podía ser el *merchandising* del Domund, pero también podía ser el *merchandising* de Mans Unides (Manos Unidas para el resto de España).[6] Aquello era duro para mí. Los Negritos de África Que Se Mueren De Hambre. Era horroroso, en realidad. Todas esas imágenes de niños negros tristes, con la mirada como vacía y el cuerpo recubierto de moscas.[7] Esos niños que se parecían físicamente a mí, a mi familia, eran los receptores de la caridad de los colegios que tenían a bien mandarles comida.

En el comedor del colegio los mensajes no eran mucho mejores. Apelaban a nuestra culpabilidad para que nos terminásemos la comida. «Con la de niños en el mundo que se mueren de hambre y tú no quieres acabarte el plato.» Qué peligrosos son esos mensajes. No estoy en contra de las recogidas de comida ni mucho menos. Y me parece maravilloso que se creen bancos de alimentos para proporcionar comida

6. Manos Unidas es una ONG católica. Si quieres saber más, puedes entrar en su sitio web: <http://www.manosunidas.org>.

7. El cómico sudafricano Trevor Noah tiene un monólogo sobre la mosca de Unicef, que ilustra muy bien este concepto de niños africanos recubiertos de moscas. Míralo aquí: <http://bit.ly/trevor-noah-unicef>.

a cualquier persona que lo necesite. Lo que me hace hervir la sangre de mala manera es que estas campañas de cuando yo era niña siempre utilizasen imágenes humillantes de niños y niñas no blancos. Bueno, de cuando era niña... y no tan niña. Porque la imagen de los menores africanos se sigue explotando sobremanera, menoscabando su dignidad y su privacidad para que algunas organizaciones no gubernamentales consigan fondos. Y no es necesario en absoluto.

No es necesario violar la privacidad de esos niños y niñas que están en situaciones tan vulnerables. No hay que exponerlos así. Porque, además, también hay niños y niñas blancos en situaciones de vulnerabilidad... pero no se les muestra de la misma forma. Vamos, es que no se les muestra. Recuerdo un anuncio,[8] de hace pocos años de la ONG Educo, en el que aparecía una madre cortando una barra de pan y su hijita se le acercaba para preguntarle qué había de cena. La madre, tras un momento de no saber qué responder, le daba un trozo de pan diciéndole que se trataba de un bocadillo mágico que podía estar relleno de lo que quisieran. La madre le daba el pan a la niña, la abrazaba y rompía a llorar. La voz en off de ese anuncio decía «Cada tres minutos un niño cae víctima de la pobreza en España». Es un anuncio en el que se pide la colaboración para conseguir becas de comedor para niños en riesgo de pobreza, para asegurarles al menos una comida al día. La niña que sale en ese anuncio, si comparamos, que ya, las comparaciones son odiosas, no aparece en la misma situación de vulnerabilidad y miseria que los niños africanos que llegan a nuestras pantallas en las campañas de marketing. Simplemente aparece una niña pidiéndole la cena a su madre. Los niños negros de las campañas de las ONGs suelen aparecer tristes, sucios y llenos de moscas. Eso menoscaba su imagen.

8. Anuncio de la ONG Educo en Youtube: <http://bit.ly/ongeduco>.

Ya, sí. Que a nivel de marketing, una ONG vende mucho más si enseña a un niño que se muere de hambre. Es más conmovedor. Ya. Pues a ver si vamos buscando otras formas de incitar a la gente para que colabore. Por eso, hace un par de años, cuando mi hija menor salió del colegio diciéndome que una profesora había dicho en clase que iban a recoger comida para los niños de África, le dije: «Mira, no: esa comida se queda aquí, para familias y niños que viven en la ciudad y que también necesitan ayuda». De alguna manera hay que neutralizar esos mensajes que reciben los más pequeños en el colegio. De alguna forma tengo que explicarles a mis hijas que sí, que en África hay niños y niñas que están pasando hambre... pero que África, ese lugar que a todo el mundo le parece tan remoto, no es el único lugar en el que hay personas en situaciones de vulnerabilidad. Aquí también las hay. Contémoslo todo.

¡Negra!

Puede que tuviera unos seis o siete años la primera vez que me pasó. Por aquel entonces mi madre estaba conviviendo con un hombre blanco que tenía una tienda de muebles en el pueblito en el que me crié con la Tata; eso me permitía alternar las tardes a la salida del colegio entre la aburrida tienda de muebles y las meriendas en casa de la Tata, que aprovechaba para visitar, y en la que veía *Barrio Sésamo* y, de más mayorcita, *Los mundos de Yupi*.[9]

Aquella tarde me había quedado en la tienda de muebles. Salí un rato a jugar en frente de la puerta. Jugaba sola delante de la tienda porque no era mi pueblito y casi no tenía amigos; además la tienda se había trasladado a otra zona del pueblo, ya que requería de un local más grande, y en aquella zona todavía no me había dado tiempo de hacer amistades. Un par de niños pasaron cerca de mí y me gritaron «¡Negra!». Me

9. *Los Mundos de Yupi* era un programa infantil (cuando en la televisión pública solo había programación infantil desde las cinco de la tarde, que era cuando salíamos del colegio hasta aproximadamente las ocho). Era un programa educativo, del estilo de *Barrio Sésamo*, con muñecos, marionetas y muchas canciones.

quedé inmóvil. Ahora lo pienso y me viene a la memoria el poema «Me gritaron negra»,[10] de Victoria Santa Cruz. Porque tengo la sensación de que muchas de las niñas y niños negros que nos hemos criado en España hemos tenido la misma sensación, como dice el poema:

¿Qué cosa es ser negra?
¡Negra!
Y yo no sabía la triste verdad que aquello escondía.

Entré en la tienda y le dije a mi madre que unos niños me habían llamado negra. Soy incapaz de recordar qué me dijo ella exactamente, pero sé que le quitó importancia y que eso me hizo sentir incomprendida. Sé que lo hizo para que no me doliera, pero restarle importancia no impedía que me hubiera incomodado que me llamasen negra de la manera que lo hicieron. La sensación de malestar no desaparecía. Después de aquella vez hubo más. Mi reacción siempre era la misma. Me paralizaba. No sabía qué decir. De hecho, ¿había algo que decir? Y si había algo que decir, ¿qué era? No lo sabía, así que no reaccionaba.

¿Qué cosa es ser negra?

Fuera lo que fuese, me sentaba mal. Ahora reflexiono sobre ello y no sé si me contrariaba el hecho de que me llamasen negra en sí o el que se rieran cuando me lo decían. O tal vez la mezcla explosiva de ambas cosas. Creo, definitivamente, que eso era lo que me sentaba mal, sí. *¡Fucking awesome combo!*

¿Qué cosa es ser negra?

10. En este vídeo puedes ver el testimonio y el bellísimo y empoderante poema de Victoria Santa Cruz, «Me gritaron negra»: <http://bit.ly/vsantacruz-negra>.

¿Qué debía de ser? ¿Qué tan malo era que lo decían y se reían? «¡Negra!» Se burlaban. Se reían de mí.

Me acuerdo de otra situación así. Habíamos salido del colegio para hacer una actividad cultural con la clase. Allí estábamos, en la calle, esperando. Creo recordar que se trataba de una representación teatral, y había muchos más niños y niñas de otros colegios de la ciudad. Y entonces una voz a la que se unieron otras empezó a cantar:

Yo soy aquel negrito del África tropical
que cultivando cantaba la canción del Colacao.

Me miraban mientras la cantaban. Me miraban y se reían. Y yo allí, inmóvil. Como la primera vez que me llamaron «negra». De repente mis amiguitas de clase se convirtieron en mi escudo. Pasaron por delante de mí, me pusieron en un segundo plano y empezaron a increpar a los niños que se burlaban de mí. No sé qué les gritaron. Ni siquiera lo recuerdo. Sé que yo seguía paralizada, avergonzada y humillada. Claro, se estaban riendo de mí, ¡cómo me iba a sentir!

Después de aquello, mis amiguitas siguieron poniendo de vuelta y media a los que en otras ocasiones me insultaban. Una retahíla de insultos a grito pelado salía a borbotones de la boca de aquellas niñas y no paraban hasta que los agresores callaban y reculaban. Después se volvían hacia mí y me dedicaban palabras de consuelo: «No te preocupes, Desi; nosotras te defendemos». «Nosotras te defendemos.» Y siempre me defendían. Siempre. En cualquier salida con mi clase, a la que aquel grito —«¡Negra!»— se oía cerca, mis compañeritas saltaban en mi defensa. Como un resorte. Inmediatamente y sin vacilar.

Visto ahora, y niñas como éramos, me parece una muestra de sororidad maravillosa y conmovedora. Fue mi primer «si tocan a una, nos tocan a todas». Ellas lo materializaban siempre. Ellas no se callaban nunca. Ellas respondían absolutamente siempre a las agresiones verbales. Siempre. *Sisterhood.*

De anuncios y canciones

Crecer en los años ochenta y noventa del siglo XX siendo una niña negra tenía miga. El resto de niños y niñas lo tenían muy fácil para burlarse de una. La publicidad y las canciones del verano eran fuente constante de inspiración. Había una cantidad importante de anuncios y letrillas de canciones bastante racistas. Las canciones de Georgie Dann también eran una fuente inagotable que proporcionaba mofa e insultos. ¿Qué le pasaba a Georgie Dann? ¿Qué tenía con los negros? ¡Que alguien me lo explique, por favor! Porque, vamos, a mí lo de ese señor y su fijación con los negros me parece digno de estudio. No sé si recuerdas que la canción se titulaba «El africano», pero sé que cualquiera que haya vivido (bueno, sufrido) las canciones de verano de Georgie Dann se acuerda de la letra.

La negrita llamaba a su mamá
y así le decía:
Mami, el negro está rabioso
quiere pelear conmigo
decírselo a mi papá.
Mami, yo me acuesto tranquila,

me tapo de cabeza
y el negro me destapa.
Mami, qué será lo que quiere el negro.
Mami, qué será lo que quiere el negro.
Mami, qué será lo que quiere el negro.
Mami, qué será lo que quiere el negro.

A mí me lo cantaban. Sí. El «Mami, qué será lo que quiere el negro» me lo cantaban a mí de pequeña. Y yo seguía ahí. Sin replicar. No me atrevía. La misma parálisis que me inmovilizó la primera vez que me llamaron «negra» me seguía acompañando. ¿Y qué iba a responder? ¿Qué podía responder? ¿Se lo contaba a mi madre? No, claro. ¿Para qué? Ella le hubiera quitado importancia. O tal vez no. Pero lo hizo la primera vez que me llamaron «negra», y eso sentó un precedente. Lo que son los prejuicios, ¿verdad? El hecho de que mi madre le hubiese quitado importancia la primera vez que me insultaron por el color de mi piel me llevó a la conclusión de que también haría lo mismo el resto de veces que me sentí insultada. Nunca sabré si estaba en lo cierto o no, porque nunca le conté lo que me decían por la calle. Así que me lo guardaba para mí, y me quedaba allí, inmóvil. Pero es así. Decidí no contarlo. En mi casa no se hablaba de raza, ni de racismo, ni del hecho de que éramos negras. Tampoco se hablaba de lo que ser negra implicaba... ni para mí (para nosotras) ni para los demás. Ese tema no existía. Y Desirée, inmóvil. Es que la inmovilidad que me paralizaba por fuera también lo hacía por dentro, y me dejaba desprovista de cualquier posibilidad de responder. O se me ocurrían las cosas a toro pasado. Seguro que conoces la sensación: alguien te dice algo que te sienta mal y en el momento no eres capaz de decir nada; pero después, cuando analizas lo ocurrido, te pones en plan «le tenía que haber dicho esto, esto y esto otro»..., pero ya no sirve de nada. Sí, en alguna ocasión te tiene que haber pasado. «El africano» no era la única canción sobre negros que tenía Georgie Dann. También estaba «El negro no puede», pero me da la sensación de que esa no tuvo tanto tirón. O, no sé, tal vez solo es que a mí no me la cantaron tanto.

Alguna vez, cuando he explicado anécdotas de este tipo, de las canciones que me cantaban otros niños y niñas, siempre hay alguien que sale con el típico «bueno, es que los críos son crueles» o «son cosas de niños». A mi parecer, si pensamos que esas conductas no hay que frenarlas, tenemos un problema... porque esos críos no van a ser críos toda la vida. Crecerán. Y las agresiones que, a los siete o a los diez años, son «solo» ofensas verbales, si no se paran, mutan a otro tipo de agresiones. Y esas agresiones que en un momento dado pueden poner en peligro mi integridad física... ¿quién las para? Si nadie le dio importancia cuando esos niños tenían ocho o nueve años y crecieron pensando que estaba bien insultar a las personas con un color de piel diferente, ¿qué haremos cuando esos chavales, a los dieciséis o diecisiete años, crean que está bien agredir a las personas con un color de piel diferente?

Mami, qué será lo que quiere Georgie Dann.

La marca de helados Frigo también aportó material para que se rieran de mí, para que se rieran de nosotras y de nosotros, todas esas niñas y niños negros que crecimos en España en los años ochenta. Frigo tenía un helado que se llamaba Negrito.[11] Era un cucurucho. La bola, mitad de nata y mitad de chocolate, estaba recubierta de una capa helada de chocolate

11. Este es el anuncio del helado Negrito de Frigo de 1985: <http://bit.ly/negrito-frigo>.

con leche con trocitos de almendras. El eslogan del anuncio era: «Este verano, ¡Negrito!». En el anuncio de televisión aparecía una playa paradisíaca y una voz con pretendido acento ¿caribeño? Decía: «Este verano, Negrito». Y entonces empezaba la canción:

Ahí viene el negro, negrito,
el Frigo con meneíto.
bola 'e chocolate y rica nata para ti.
Ahí viene el negro, negrito,
El Frigo con meneíto
bola 'e chocolate y rica nata para ti.
Este verano, Negrito.

El anuncio alternaba imágenes, a mi parecer, aleatorias; pero, claro, yo no soy publicista, y tal vez la sucesión de imágenes seguía alguna lógica. Aquí la tienes, así de carrerilla, para que veas: La playa paradisíaca. El cucurucho del helado rellenándose con crema de chocolate y crema de nata. La bola del helado, mitad nata, mitad chocolate. Un plano bastante cercano de una mujer de espaldas con un bikini de rayas rojas y blancas (como el fondo del logo de Frigo) contoneándose al caminar. De nuevo la bola del helado a la que le echan por encima las almendras troceadas y el chocolate deshecho. La mujer del bikini otra vez. Y de nuevo las almendras troceadas y el chocolate encima del helado. Dos bocas de perfil (un hombre y una mujer, blancos) dando un bocado a sendos cucuruchos Negrito. Un primer plano de un hombre, negro, con un cucurucho Negrito delante, moviendo los ojos como si quisiera enfocarlos pero no lo logra hasta que sus ojos se juntan en el helado, que le queda a la altura de la nariz (recuerda cómo se nos quedaban los ojos cuando jugábamos a mirarnos la nariz, sí, bizcos). Un niño, rubio, en una playa al que le dan un Negrito y le pega un mordisco. Dos chicas bailoteando frente a unas casetas de playa con los colores corporativos de Frigo (rojo y blanco). De nuevo la bola con las almendras y el chocolate cayéndole por encima. Una mujer, blanca, mordiendo sonriente el helado y, detrás, un hombre que parece pintado de negro con una peluca afro que se levanta las gafas de sol al ver a la mujer comiéndose el cucurucho. De nuevo las bocas del hombre y la mujer, blancos, a punto de morder el Negrito mientras aparece, impreso, el eslogan: «Negrito, de Frigo». Fin.

Era bastante común ir por la calle y en algún momento oír «¡Este verano, Negrito!». Y luego, la risilla. Siempre la risilla. Era común y también era un fastidio. Tenía por costumbre no molestarme en mirar quién lo decía. Seguía mi camino y punto, porque recuerda que me quedaba paralizada. Sin embargo, hubo un verano —solo uno— en el que Frigo nos dio tregua: lanzaron el helado Blanquito. Era la versión del Negrito, pero con dulce de leche, o tal vez fuera tofe, no estoy segura; y la cobertura era de chocolate blanco. Así que en el anuncio, después del «Este verano, Negrito», había una pequeña pausa y luego añadían «¡y Blanquito!». Frigo había decidido darnos la oportunidad de replicar. Fue solo un verano, que yo recuerde. El Blanquito tuvo tan poco éxito que enseguida Frigo lo retiró de su carta. Pero ahí lo tuvimos. Un verano. Solo uno. Tres meses de contraataque entre todos los años de insultos. Pero, ese verano, podía responder. Y es que antes de aquella oportunidad de contraofensiva, siempre me quedaba callada. Así que aquel glorioso verano, cada vez que oía por la calle el «¡Este verano, Negrito!», me volvía y gritaba «¡y Blanquito!». Sonriente, triunfal. No había réplica. Fue solo un verano, pero fue un buen verano.

Otra canción muy popular fue la del Cola Cao. Seguro que la has oído, y puede que hasta la hayas cantado porque, reconozcámoslo, la letra es facilona y pegadiza.

Yo soy aquel negrito del África tropical
que cultivando cantaba la canción del Cola Cao,
y como verán ustedes les voy a relatar
las múltiples cualidades de este producto sin par.
Es el Cola Cao desayuno y merienda,
es el Cola Cao desayuno y merienda ideal, Cola Cao.
Lo toma el futbolista para entrar goles,
también lo toman los buenos nadadores,
si lo toma el ciclista se hace el amo de la pista
y, si es el boxeador, golpea que es un primor.
Yo soy aquel negrito del África tropical
que cultivando cantaba la canción del Cola Cao,
y como verán ustedes les voy a relatar
las múltiples cualidades de este producto sin par.
Es el Cola Cao desayuno y merienda,
es el Cola Cao desayuno y merienda ideal, Cola Cao.
Lo toma el futbolista para entrar goles,
también lo toman los buenos nadadores,
si lo toma el ciclista se hace el amo de la pista
y, si es el boxeador, golpea que es un primor.

La primera estrofa nos la sabíamos, ¿verdad? La segunda igual ya no te suena tanto. Pero ahí estaba. También me la cantaron en alguna ocasión, como he contado, pero lo que más me fastidiaba no era que me la cantaran (que sí), sino la letra, que pinta como algo idílico la recogida del cacao en esa África Tropical (mira, justo en Guinea Ecuatorial había plantaciones de cacao), cuando la recogida se llevaba a cabo en condiciones de esclavitud y a muchas personas les costó la vida. Seguro que las personas que recogían el cacao no cantaban la canción del Cola Cao mientras las explotaban. No tenía consciencia de que aquello fuera racismo. Me insultaban, me menospreciaban, se reían de mí. Cantaban canciones mirándome a sabiendas de que me sentarían mal; pero mi yo niña no sabía que aquello era racismo. No sabía qué nombre ponerle a aquello. No sabía qué hacer para pararlo. No sabía, siquiera, si podía hacer algo para pararlo. ¿Qué iba a saber, pobre de mí, si era una cría?

Mi pelo de niña

Por lo que respecta al pelo, recuerdo que siempre iba peinada. Madre me hacía trenzas con hilo, algo muy típico de Guinea Ecuatorial. Los recuerdos más antiguos de aquellas trenzas que alcanzo a rememorar me llevan hasta los siete u ocho años. De hecho hasta el peinado para mi Primera Comunión: un estilo intrincado de trenzas con hilo que se entrelazaban entre sí y que llevó muchas horas de elaboración o, por lo menos, más tiempo del que mi cuero cabelludo y mi paciencia toleraban habitualmente.

En las tardes de domingo, mientras en la tele daban *El tiempo es oro,*[12] Madre aparecía en el salón de casa con el carrete de hilo, el peine de cola de ratón, el peine de dientes anchos y la crema Dax, petróleo puro. La crema Dax. Cómo la recuerdo. Verde, untuosa, grasienta a más no poder. Mi madre me la ponía en el pelo, en seco, y luego me peinaba. Llegué

12. *El Tiempo es oro* era un programa cultural que daban los domingos por la tarde en Televisión Española, dirigido por uno de los presentadores más míticos y carismáticos que ha tenido España, Constantino Romero. En este enlace puedes ver un programa completo del año 1988: <http://bit.ly/tiempo-oro-tve>.

a odiar la crema Dax. Si mirase los ingredientes de la crema Dax, creo que ahora no me la pondría. La crema Dax me lleva a pensar en los primeros productos que los africanos empezaron a ponerse en el pelo cuando fueron arrancados de sus tierras y conducidos en los barcos esclavistas hasta Abya Yala, el continente americano.

En las sociedades africanas, antes de la colonización y la esclavitud, el pelo era un componente social muy importante. Gracias a cómo llevaba el cabello una persona, se podía conocer qué posición ocupaba dentro de la sociedad. El cabello se cuidaba y se peinaba utilizando herramientas específicas para tal fin, hierbas y plantas, y también aceites. Cuando los colonos llegaron a África, empezó el éxodo masivo de millones de africanos y africanas. Metían a las personas en los barcos esclavistas separando a los miembros de las familias y, además, les rapaban el cabello. Al desproveer a los africanos de algo tan definitorio como su cabello y separarlos de sus familias, se lograba la pérdida de identidad con la que los colonos se aseguraban la sumisión. Era su forma de garantizar el control y el sometimiento de las personas a las que capturaban. Al llegar a América con las manos vacías sin sus ungüentos para el cabello ni sus herramientas para tratarlo, los esclavos tuvieron que desarrollar su creatividad a base de bien para cuidar su pelo. Empezaron a ingeniárselas para preparar ungüentos con los que poder cuidárselo. Solían prepararlos con lo que tenían más a mano, así que las mezclas que ideaban eran una combinación de keroseno y grasa de beicon. Con el keroseno, que es un derivado del petróleo, empezó el uso de los petróleos y aceites minerales en el pelo afro, que, a día de hoy, sigue presente en algunos de los productos que se comercializan, como la famosa crema Dax, y que más de una vez yo misma he comprado sin saber... hasta que me habitué a leer la etiqueta de los productos que consumo.

Deja que te cuente un poco más. Hacia 1900, Sarah Breedlove fundó la marca Madame C. J. Walker. Breedlove, que sería posteriormente reconocida como la primera empresaria negra,[13] empezó a fabricar productos para tratar su propia pérdida de cabello. Esos productos, si se les añadía calor, estiraban el cabello temporalmente. Hablando de añadir calor al cabello para estirarlo, en 1913, un inventor negro, Garrett Augustus Morgan,[14] daba con la fórmula de un alisado químico para el pelo afro. De acuerdo: fue un descubrimiento accidental, pero muchos descubrimientos también lo son, así que todo el mérito para el señor Morgan. Garrett A. Morgan era un empresario que disponía junto con su esposa de un comercio textil en el que se confeccionaban todo tipo de prendas, entre ellas abrigos, trajes y vestidos. Morgan andaba experimentando con un líquido para conseguir que las agujas de sus máquinas de coser no abrasasen el tejido mientras lo cosían, intentando reducir la fricción de las agujas. Se dice que parte de ese líquido cayó en una alfombra de lana y que, acto seguido, los hilos de la alfombra parecían más lisos. Así que, tras convertir ese líquido en una crema con la ayuda de otros ingredientes y probar que el producto funcionaba en el pelaje del perro de uno de sus vecinos, Morgan decidió probarlo en su propio pelo afro. Ese sería el principio de la G. A. Morgan Refining Hair Company, la empresa que Morgan fundó y que se dedicaba a la producción y comercialización de productos para teñir y alisar el cabello. Además de la patente sobre los

13. Fundó la Madame C.J. Walker Manufacturing Company, una empresa dedicada a la fabricación, distribución y venta de productos cosméticos y para el cabello para personas negras.

14. Te dejo aquí el enlace al vídeopost que publiqué en su día hablando sobre el libro *Inventores y científicos negros*: <http://bit.ly/inventores-negros>. En él, podrás aprender más sobre personajes afro que, aunque olvidados por la historia, hicieron grandes contribuciones.

productos para alisar el cabello, Morgan también creó un peine para alisar el cabello, aunque eso fue un poco antes, en 1910. Aquel peine de hierro, conocido como *pressing comb*, se calentaba en el fuego y, una vez caliente, se pasaba por el pelo para estirarlo. Digamos que era un método muy rudimentario de planchar el pelo.

En mi casa a ese peine se le llamaba *press comb*. A veces se le llamaba *press* a secas. Madre tenía uno. No sé si la vi jamás usarlo en su pelo, pero recuerdo que lo usaba en el mío. Encendía un fogón de la cocina y dejaba el peine allí calentándose en la llama. Al rato, lo sacaba del fuego, hacía secciones pequeñas de cabello y, después de ponerme la pasta verde Dax, pasaba el *press comb* para estirarlo y así poder peinarlo con más facilidad. Todo quedaba inundado de un olor bastante desagradable, mezcla de pelo chamuscado y crema para peinar. Había que tener mucho cuidado al pasar el *press* por el pelo. Acercarlo demasiado podía suponer quemarme el cuero cabelludo. O la parte de arriba de las orejas. Me recuerdo tensa cuando notaba el calor del peine demasiado cerca. Ahora, con perspectiva, me pregunto si realmente era necesario hacer pasar por eso a una niña de menos de diez años. Pero era una técnica habitual para peinar a las niñas negras. Igual que lo es alisar el cabello con química. Pero ¿quién se iba a preguntar por aquel entonces si aquello estaba bien o mal o si era bueno o malo, cuando seguramente en casi todas las casas de familias negras había un *press comb*? No sé si mi madre sabía mucho o poco sobre cuidar el pelo afro. Nunca se lo pregunté. Yo tampoco sabía. Yo solo sabía que una vez a la semana, el domingo, tocaba lavar el pelo, poner aquella pasta verde, pasar el peine ardiendo y recogerlo con hilo para ir toda la semana peinada al colegio. No me gustaba el Día de Peinar. Lo relacionaba con llantos en silencio, tirones para deshacer los enredos, pequeñas quemaduras en la punta de las orejas o en la nuca y *El Tiempo es oro*. La parte positiva era que solo se daba una vez por semana. Más que suficiente, por otra parte. Acababa con la cabeza dolorida y con un recogido muy tenso.

Ya he mencionado que yo era la única niña negra del colegio. Recuerda: colegio religioso, femenino y uniformado. Con esto quiero decir que tampoco tenía mucha oportunidad de relacionarme con otras niñas negras, ni ver si su cabello era como el mío o si sus madres las peinaban como mi madre me peinaba a mí; aunque quería pensar que sí, que esa era la forma de peinar a las niñas negras. Todas esas niñas negras a las que no veía. En la televisión la cosa no estaba mejor. Por aquel entonces la única niña negra que recuerdo era Rudy Huxtable, la hija pequeña en *La Hora de Bill Cosby*.[15] Rudy Huxtable, igual que su hermana Vanessa, llevaba el pelo bien alisado. Luego estaba Denise, que llevaba *dreadlocs*, rastas, pero, claro, Denise era mayor. No me fijaba tanto en ella; imagino que la sentía más lejana, por su edad. En Vanessa y Rudy sí me fijaba. Y ellas llevaban el pelo alisado. Eran las dos únicas referencias que tenía, mis dos únicos referentes negros. Dos niñas afroamericanas con el pelo alisado. Poco más. Si las dos únicas niñas negras a las que veía en la tele llevaban el pelo liso, ¿qué iba a querer yo? Está claro. Quería ver mi pelo como el suyo. En aquellos tiempos fantaseaba con una larga cabellera. Jugaba a ponerme camisetas o toallas en la cabeza que hicieran las veces de melena, y daba vueltas y vueltas, y movía la cabeza de un lado a otro para que la toalla o la camiseta se balancearan. Era una

15. Espero que tengas la edad suficiente para recordar que *La Hora de Bill Cosby*, como se llamó en España a *The Cosby Show*, era una comedia que contaba el día a día de la familia Huxtable y en la que los protagonistas eran el doctor Huxtable (protagonizado por Bill Cosby, quien fue acusado recientemente de abuso sexual), su mujer y sus cuatro hijos: Denise, Theo, Vanessa y Rudy: <http://bit.ly/thecosbyshow>.

forma de superar el complejo que me suponía que mi pelo no se pudiera mover. Algo tenía que hacer. Y de esa forma, desarrollando la creatividad, superaba la necesidad que tenía de ver que algo se movía en mi cabeza, como ocurría en la cabeza de todas las niñas de mi entorno en aquella época. La crema Dax no era el único producto que mi madre usaba para el cabello. Después llegaron otros productos más, para el pelo, para la piel..., pero de ellos hablaremos más adelante.

Navidad y otras festividades

De pequeña, Madre siempre me disfrazó de hada, de princesa o de flamenca. Son los disfraces que más recuerdo, aparte de los disfraces grupales que preparábamos en el colegio para Carnaval.

Lo que sí que he tenido que vivir, o sufrir, son los disfraces de los demás. Y había disfraces que tenían mucha tela, y no hablo en sentido literal. De pequeña no me afectaba. Lo de ver a personas blancas disfrazadas de negrito o de tribus, quiero decir. Lo que sí me mosqueaba era el asunto de los Reyes Magos. Mi rey mago preferido era el rey Baltasar. Y tú dirás «Uy, qué típico. Tu rey preferido era Baltasar». Y yo te digo «Pues claro». Me gustaba porque era un rey, era mago y era como yo, por aquello de los referentes.

Aunque el rey Baltasar casi nunca era como yo. Cuando era pequeña, la mayoría de veces, por no decir siempre, el rey Baltasar era un señor blanco muy mal disfrazado de negro. Por muy mal disfrazado me refiero a un señor con el óvalo facial mal pintado de negro betún, con los labios muy muy rojos y con una peluca de rizos. «Aquello» ya no se parecía a mí. Aunque puedo entender que, en los años ochenta, cuando había menos población negra que ahora, se pintase y caracterizase a alguien blanco para hacer las veces de Baltasar. Eso sí, a día de hoy la *blackface* no tiene sentido. Ni para hacer de Baltasar, ni en carnaval ni en Halloween. Pero sigamos con las cabalgatas. Insisto: a día de hoy no tiene sentido que en las cabalgatas de algunas ciudades siga habiendo reyes Baltasar pintados de negro. Es decir, hombres blancos a los que pintan (y muy mal, insisto) de negro para hacer de rey Baltasar. Hoy en día creo que podría representarlo un hombre negro, en vez de seguir pintando a hombres blancos. A estas alturas, somos suficientes personas negras para que podamos representarnos a nosotras mismas, así que ya no es necesario en absoluto caracterizar a nadie.

Además, los niños pequeños son solo eso: pequeños. Pero son inteligentes y se dan cuenta de todo. Y, si una persona blanca va pintada de negro, se dan cuenta y preguntan. Creo que a día de hoy muchas ciudades más o menos grandes cuentan con asociaciones de personas africanas, o colectivos.... Vamos, que en prácticamente cualquier punto de la geografía española viven personas negras. Siendo así, me parece muy desacertado que se siga optando por pintar a alguien de negro. Pienso que los ayuntamientos, en tanto que organizadores de las cabalgatas, podrían contactar con personas negras para que participaran ese día. Porque me da la sensación de que la mayoría de las veces solo se cuenta con las personas africanas (o no blancas en general) para las celebraciones de la «Diversidad». Y de nuevo, en esas ocasiones lo que se hace es tirar del folclore, porque «¡ay, qué chula la música y qué rica la comida!». ¿Esas son las únicas ocasiones en las que se puede contar con colectivos de africanos o afrodescendientes?

Lo de las fiestas de la diversidad, al final, me da la sensación que lo único que demuestra es la instrumentalización que se hace de las personas migrantes. Se cuenta con ellas puntualmente, y solo cuando el contexto marca específicamente que se tiene que contar con la «diversidad» de la comunidad. Eso es una vez al año. Después todo se diluye. Me parece que contar con personas afrodescendientes o africanas para, por ejemplo, la cabalgata de los Reyes Magos, y que hagan de rey Baltasar y de pajes, es una buena ocasión de fomentar la colaboración (que no integración, por favor) y la participación de las personas africanas en las actividades de la ciudad. Porque luego hay que oír que si los inmigrantes no se integran en las ciudades a las que han emigrado. ¿Se les permite? Porque esta, como ves, sería una buena oportunidad. El corto *Querido Baltasar*,[16] de Chris Baz, es una buena muestra de lo que propongo aquí. Además, creo que podrás hacerte una idea muy clara de lo que sentimos las personas negras o afrodescendientes ante la aparición de esos Baltasares pintados. Y todavía voy más allá: sería buenísimo que este corto se viera en centros educativos y en asociaciones de madres y padres de alumnos como herramienta para tomar conciencia de la necesidad que tenemos las personas negras de que se zanje este tema.

Sigamos hablando de disfraces, pero lejos de la cabalgata. Y centrémonos en la *blackface*. La *blackface* es lo que, de toda la vida, se ha llamado pintarse la cara (y el cuerpo, si procede) de negro. Lo que pasa es que dicho en inglés suena más pomposo, ¿verdad? No me voy a andar con rodeos: la *blackface* es ofensiva, racista e innecesaria. Para mí lo es. Absolutamente. Seguro que ya lo has leído en alguna página web, blog, Twitter, discusión de Facebook... No soy la primera en decir que la *blackface* es racista, pero quiero insistir en ello: la *blackface* es ofensiva e innecesaria, y nada la justifica. Nada en absoluto justifica que necesites pintarte la cara y disfrazarte de

16. Puedes ver aquí el corto dirigido por Chris Baz: <http://bit.ly/querido-baltasar>.

negrito. Porque las personas no blancas no somos disfraces; a veces hay que repetirlo. Además, piensa que cuando alguien se disfraza de persona no blanca lo que suele hacer es exagerar rasgos característicos de esa comunidad para mofarse de ellos. De ahí que, en el caso de las personas negras, se pinten además los labios de color rojo chorizo, como le llamo yo. Vuelvo a insistir: no tiene justificación. No la tiene. De hecho, cuando me he visto metida en discusiones en redes sociales en las que una persona blanca intenta sostener su argumento de que la *blackface* no tiene nada que ver con el racismo, se acaba dando una situación violenta y absurda en la que la persona que intenta justificarlo cada vez la caga más. Y acaba siendo peor. Lo más chocante de la *blackface* es lo que te voy a contar ahora: parece que en ocasiones no basta con que el colectivo objeto de la burla (*blackface*) diga «Basta, esto me ofende». No basta. La persona que usa la *blackface* se escuda en que no tiene mala intención y parece que eso tiene que ser suficiente y que por eso hay que perdonárselo. No basta con que las personas negras digamos «Esto es insultante» para que la gente blanca que hace *blackface* deje de hacerlo. No es suficiente: tenemos que aportar datos, argumentar, rebatir... y al final, en muchas ocasiones, con la justificación se llega al «tengo derecho a disfrazarme como me dé la gana». Estaría muy bien que reflexionásemos sobre nuestros «como me dé la gana». Y en el momento en el que ese «como me dé la gana» ofenda a otra persona, tal vez estaría bien modificarlo. Tampoco vale excusarse en la buena intención de quien hace la *blackface*. Porque, y parémonos un momento a reflexionarlo, ¿qué buena intención tiene alguien a quien le han dicho por activa y por pasiva que la *blackface* ofende y sin embargo la sigue usando? ¿Seguro que ahí no hay mala intención?, pregunto. Suelo pensar que el error está en que la persona que hace *blackface* se pone en el centro: como se escuda en su buena intención, el daño que hace y la ofensa que causa están dispensadas. Pero no. Quien está en el centro de cualquier agresión es la persona agredida. Que no se nos olvide. Y, para una persona agraviada, las buenas intenciones de quien le ha agredido no cuentan.

Juventud

Los papeles

La primera vez que me pararon iba a coger el autobús para ir a clase de danza. Iba de camino a la estación y una pareja de la Guardia Civil caminaba hacia mí. Se pararon frente a mí, me cortaron el paso y me pidieron «los papeles». No sé cómo lo expresaron exactamente. No sé cómo me lo pidieron, pero sé que me exigieron ver la documentación. Los papeles. Yo no llevaba el DNI. Ni siquiera sabía que tenía que llevarlo. Me dijeron que, por esa vez, me dejaban estar, pero que la siguiente me llevarían al calabozo. Me pasé el viaje en bus llorando. Tenía trece años.

Con trece años cómo demonios iba a saber que tenía que llevar el DNI. Es decir, nunca jamás nadie me dijo que tuviera que salir a la calle con el DNI porque cabía la posibilidad de que me lo pidiesen. Lo que yo no sabía entonces, porque nadie me lo había dicho, es que el DNI solo es obligatorio a partir de los catorce años; no antes. Así que no había razón para que me lo pidieran.

No sé por qué lloré. O sí. Tal vez fue el miedo. Creo que lo sentí como si me hubieran reñido por algo que había hecho mal, cuando yo era de esas niñas ejemplares que siempre se portan bien. Y me había llevado una reprimenda de la policía.

En medio de la calle. Vergüenza. Creo que también me dio vergüenza. O me sentí humillada. Y la mezcla entre la vergüenza y el miedo me dejó así, inconsolable. Aquella tarde no bailé. Me quitaron las ganas.

Trece años.

No se lo comenté a mi madre. Igual que después de explicarle la primera vez que me gritaron «negra» no le conté que había ocurrido más veces, tampoco en esta ocasión le dije nada. No se lo conté a ninguna de mis amigas, todas blancas por aquel entonces, porque me daba vergüenza. No había hecho nada malo y sin embargo lo que había pasado me daba tantísima vergüenza que no quería que nadie lo supiera. ¿Qué iban a pensar de mí si les decía que la Guardia Civil me había parado? Además, ¿cómo reaccionarían las personas a las que se lo contara? ¿Les habría pasado también? Es decir, ¿me responderían que aquello era normal, que le pasaba a todo el mundo? Nunca lo sabré. No sabré si la policía por aquel entonces se la pasaba abordando a los adolescentes de trece años para pedirles la documentación. Aunque ahora, de mayor, sé que lo que me pasó, el hecho de que me parase un cuerpo de seguridad del Estado para pedirme la documentación, se denomina «detención por perfil étnico». Son detenciones racistas. Es racismo institucional.

Podría contar muchas experiencias de personas no blancas a las que han parado para pedirles la documentación cuando se limitaban a circular libremente por la ciudad, sin llevar a cabo nada sospechoso, haciendo algo tan cotidiano como ir a la universidad, al trabajo, a dar un concierto, viajar en transporte público, esperar dentro de un coche a otra persona, tomar una copa, caminar cargando una mochila a la espalda... La cosa es que, cuando se denuncian las detenciones racistas, la respuesta suele ser que la policía se limita a hacer su trabajo. Aquí es donde, en mi opinión, radica el problema. Ante esa respuesta, entiendo que los agentes de policía tienen indicación de pararnos a las personas negras. ¿A santo de qué y con qué motivos? ¿Puede ser uno de esos motivos el hecho de garantizar la seguridad general? Podría ser. Pero, si es así, ¿se garantiza la seguridad general a costa de la inseguridad de un colectivo? Porque, por más que yo haya normalizado que soy sujeto de desconfianza solo por tener más melanina, no dejo de sentir inseguridad.

En ocasiones, cuando comparto con personas blancas el malestar que me produce el que a mí y a otras personas como yo, o sea no blancas, se nos pueda parar por la calle porque sí para «requerirnos» la documentación sin más motivo, siento que no entienden la diferencia entre el hecho de que a ellos les paren «porque llevan pintas» o porque están haciendo algo raro y a mí por ser negra. No es lo mismo. No lo es. Es como lo de los insultos. No es lo mismo que te insulten por ser un «rojo de mierda», como alguien me contó alguna vez, porque si tú sales a la calle y no dices que eres de izquierdas, ¿quién te va a llamar «rojo de mierda»? Yo, en cambio, no puedo ocultar quién soy.

Hace unos años le decía a un amigo lo injusto que me parecía el hecho de que a las personas negras nos pare la policía para pedirnos la documentación. En ese momento, mi amigo me dijo algo como que «bueno, si un pelirrojo comete un delito, pues es normal que le pidan la documentación a todos los pelirrojos, ¿no?». Decidí no contestarle por muchos motivos. Pero para mí estaba claro que no era lo mismo. A día de hoy mi amigo entiende que no es lo mismo. Ha entendido que su ejemplo era un mal ejemplo, porque él partía del hecho de que buscaban a alguien concreto por haber hecho algo ilegal. Pero ¿es delito tener más melanina que la mayoría de la sociedad? ¿Eso justifica las identificaciones policiales?

A este respecto, tengo que reconocer que, pese a todo, puedo considerarme una privilegiada. Y esto se debe al hecho de que mi situación administrativa es legal, ya que soy española y tengo DNI, lo que me libra de verme encerrada en esas cárceles inhumanas que son los CIE. Mi querido amigo y fotógrafo Rubén H. Bermúdez publicaba, en octubre de 2016, un artículo en *Radio África Magazine* titulado «Escribir sobre racismo es violento».[17] Hablar sobre racismo también es violento. Mucho. Señalar conductas racistas es violento, y lo es sobre todo cuando a la mayoría de las personas blancas les cuesta admitir el racismo estructural en el que se han educado, el racismo estructural en el que nos hemos educado, y me incluyo, porque yo he nacido, me he criado, he estudiado y vivo aquí. Cuando le señalas a alguien una conducta racista (ojo, una conducta racista, no que le digas que es racista, sino que lo que acaba de hacer o decir es una racistada) la gente se pone a la defensiva. Es lo que la profesora universitaria Robin Di Angelo bautizó como *white fragility,* fragilidad blanca. En esencia, la fragilidad blanca implica que, cuando a una persona blanca le señalan una conducta racista, esta se siente incómoda. Y, para reparar esa incomodidad, la persona a la que se le ha señalado la conducta racista va a desarrollar una serie de conductas (rabia, enfado, llanto, etc.) que le permitan volver a recuperar su posición cómoda en la conversación sobre racismo. Las conversaciones sobre racismo, en mi opinión, tienen que incomodar a las personas blancas. Y punto. Es así. Y las personas blancas deben aprender a gestionar esa incomodidad. Una incomodidad que nunca habían sentido, porque es lo que otorga el privilegio de ser mayoría: no sentir que se te cuestiona, no sentir que se te interpela. Pero hay que tener conversaciones sobre racismo; hay que tenerlas con personas

17. Desde este enlace puedes leer el maravilloso artículo de Rubén: <http://bit.ly/rma-ruben>.

que viven el racismo en primera persona. Y hay que aprender a dejarlas hablar, a dejarnos hablar, intentando no ponerse a la defensiva ni herir. Porque el racismo es estructural. Y cuando el racismo es estructural, las administraciones, las instituciones y todos los ámbitos de la sociedad también están impregnados de él. Y ese racismo está tan arraigado que no se ve si quienes lo vivimos en primera persona no lo señalamos. Pues yo lo señalo. Y es un alivio que otras personas blancas que no viven directamente esta discriminación, pero que se revisan y se deconstruyen, se pongan a mi lado y lo señalen conmigo, con nosotras.

Aún así, tengo que oír a veces críticas y ataques del estilo de que me he beneficiado de un sistema que critico, porque he tenido la facilidad y los medios para formarme y tener una buena educación, señalando que en algunos países esto es un privilegio. Y sí, en otros países, tener formación universitaria o un empleo en la administración pública siendo mujer negra es impensable. Pero yo no vivo en otros países. Vivo en Catalunya, y por eso lucho por que mi sociedad se convierta en una sociedad más justa e igualitaria. Que a veces, escuchando a determinadas personas, parece que, como vivimos en una sociedad con ciertos derechos adquiridos desde hace tiempo, tengamos que conformarnos, bajar la cabeza y renunciar a mejorar. Y así es como se cae en el inmovilismo. Otras veces, se me invita de forma poco amable a abandonar el país. «Pues si esto no te gusta, vete a tu país.» Ya, verás. Es que pasa una cosa. Que yo ya estoy en mi país, así que no tengo otro país al que irme. A veces me pregunto si esa gente con pensamientos tan estancos también invita a marcharse del país a cualquier persona blanca que no está conforme con la situación en la que vivimos..., y a día de hoy hay mucha gente que no está conforme con lo que vivimos. ¿Qué hacen? ¿También les dicen que se vayan? ¿O solo me lo dicen a mí y a quienes son como yo? El hecho de que, cuando digo que estoy en mi país, el contraataque en ocasiones sea «Pues vuélvete a la selva de la que nunca debiste salir» deja las cosas bastante claras.

Tu país

Persona blanca: ¿Y ya has ido a «tu país»?

Yo: No.

Persona blanca (cara de asombro por estar yo cometiendo un sacrilegio): ¿Nooooooo? Pero ¿cómo puede ser! Pues deberías.

Y ya estás sentenciada. Deberías. Deberías ir a Tu País. Esa es la frase. Partamos de la base de que ese «Tu País» no existe puesto que ya estoy en mi país: España. En todo caso, hablemos del país de mis padres. Si fuese una pregunta de examen, sería de este tipo: «¿Ya has ido a Tu País? Justifica tu respuesta».

Las personas somos indiscretas la mayor parte del tiempo. Me incluyo porque, como no estoy libre de pecado, no puedo tirar ninguna piedra, y menos aún la primera. Tendemos a lanzar preguntas sin ser conscientes del nivel de privacidad o intimidad que transgredimos al hacerlas. Además, muchas veces nos creemos con el derecho real de merecer respuesta. Y si la otra persona, de forma cortés, dice que prefiere no responder, nos sentimos ofendidos y salimos con el «Ay, hija, ¡qué susceptible eres, de verdad! ¡Si es una pregunta de nada!». No he ido al país de mis padres todavía. Y no es que no sepa que debería ir. Lo sé. Lo tengo clarísimo. Y quiero ir, no solo porque «me quede allí mucha familia». Quiero ir por muchas cosas más. Pero que a nadie se le olvide una cosa: si no quisiera ir tampoco pasaría nada. No tengo que rendirle cuentas a nadie ni soy menos negra por ello. Son decisiones personales que se basan en la historia de cada individuo, y no hay nada que decir ni hay que juzgar a nadie por eso.

Cuando, de adolescente, me lanzaban la pregunta, siempre me quedaba un poco cortada. «¿Así que no sabes cómo es el país de tus padres?», te preguntan. Y parece que te reprueban. Has contestado que no. Has suspendido el examen. Siempre que me lo preguntaban, me daba la sensación de que, si respondía que sí, iba a empezar una batería de preguntas dirigidas a confirmar o desmentir su imaginario sobre África, mi país (ya, que no, que no es un país; es broma).

En algún punto de mi adolescencia, llegué a sentirme avergonzada al responder que no había ido a «Tu País» (o sea, a Guinea Ecuatorial). Me sentía mal, sentía como que fallaba. Menuda estupidez..., pero eso lo pienso ahora. De mayor me lo siguen preguntando. La cosa es que la edad da tablas y ahora simplemente digo que no he ido, y me reservo el derecho de dar las explicaciones a quien me apetece dárselas, no a toda persona que me las pida. Y es que viajar a Guinea Ecuatorial no es como estar en Barcelona e irme al pueblo, que puede estar en otra comunidad autónoma de España. Para mí, y supongo que para mucha gente, viajar a África, sea el país que sea, es mucho más. Y en ese «mucho más» que implica viajar a Guinea Ecuatorial también hay muchas emociones en juego. Lo que conlleva tener que hacer una gestión emocional para la que hay que prepararse. Y eso, para mí, requiere tiempo.

No voy a entrar en los motivos por los que no he viajado a Guinea Ecuatorial todavía, porque son razones demasiado personales, y no me apetece mostrarme más de lo que ya me estoy mostrando escribiendo este libro. Son razones que tienen que ver con mi historia y con la historia de mi familia, y por eso no voy a revelarlas. Lo único que me gustaría dejar claro es eso: que hay preguntas que son demasiado invasivas y demasiado personales para responderlas a una persona desconocida que, probablemente, lo único que quiere es satisfacer su curiosidad. Y, bueno, oye, que no está mal, pero la privacidad ajena por encima de la curiosidad propia, ¿no?

Complejo de fea

Ya te he contado que fui a un colegio femenino y religioso. Bastantes años antes de que yo entrase había sido mixto, aunque solo en preescolar (tres, cuatro y cinco años) y después los niños seguían la escolarización en un colegio masculino (y religioso, claro) que había en el pueblo. Para cuando yo entré en el colegio, este volvía a ser enteramente femenino, así que mi contacto con chicos durante los años de escolarización fue, digámoslo así, nulo. Solo tenía amigas.

En mi círculo familiar y social fuera del colegio tampoco había niños, aunque tenía un primo por parte de madre al que solo veía en eventos BBC (bodas, bautizos y comuniones) porque él y su familia vivían a cincuenta kilómetros; pero es que además mi madre trabajaba toda la semana, lo que hizo que de pequeña tuviese poca relación con mi familia materna. Así que, bueno, «Lo De Los Niños», fuera lo que fuese, era algo completamente desconocido, inexistente para mí.

Mi colegio tenía dos instalaciones que causaban sensación: un tobogán de piedra enorme y un espacio cerrado al que llamábamos el patio cubierto, deja que le llame el Patio Cubierto, así en mayúsculas, en el que podíamos jugar cuando llovía. El tobogán de piedra era la atracción del colegio. Cuando, los sábados, el centro abría las puertas para acoger los partidos de las ligas deportivas escolares y venían niños y niñas de otros colegios, iban de cabeza al tobogán. Y cuando digo de cabeza, también es literalmente, porque les encantaba, nos encantaba, tirarnos por el tobogán así, con la cabeza y los brazos por delante, boca abajo.

El Patio Cubierto era un espacio bastante grande y cerrado con una acústica horrorosa en el que cualquier ruido retumbaba de forma descomunal. ¿Sabes el eco que hay en una cueva? Pues el patio cubierto era eso. De pequeña me encantaba entrar allí y gritar para oír mi propio eco. Ahora que con la edad me vuelvo cada vez más sensible a los ruidos, pensar en estar en un sitio así me dispara un poquito la ansiedad; pero de pequeña el Patio Cubierto era lo más. Los días de lluvia que no se podía salir al patio durante el recreo, las opciones eran quedarse en clase, ir a otras aulas a hacer el ganso con amiguitas de otros cursos, meterse en la biblioteca a leer o charlar, o bajar al Patio Cubierto. Así que estar allí implicaba estar con muchísimas niñas de todas las edades, desde las más pequeñitas, que gritaban y corrían por el espacio con el ruido que eso suponía (recuerda: eco), hasta las mayores, que hacían corrillos para hablar vete tú a saber de qué.

Aquella mañana de lluvia, durante el recreo, yo estaba en el patio cubierto cuando de repente una voz se elevó por encima de todo el estruendo: «¡Hay un niño en el colegio!». El bullicio y el eco cesaron en el Patio Cubierto. Tal vez no cesaron; ya sabes, la memoria es caprichosa. Con el paso del tiempo yo lo recuerdo así, como si todo —los correteos, los juegos, las conversaciones, el bullicio, el tiempo—, se hubiera detenido. Un niño en el colegio. Por lo visto la dirección del colegio había decidido «modernizarse» y permitir la escolarización de niños. Y así nos encontramos con que, con el curso ya empezado, el Primer Niño entró en el colegio. Mi promoción fue la última exclusivamente femenina. Así que me pasé toda la EGB (en mis tiempos se llamaba Enseñanza General Básica lo que ahora es la Educación Primaria) sin tener contacto con niños. Aquel verano, el último antes de empezar el instituto, fui a clases de repaso (o refuerzo escolar, como prefieras). Mi profesor de repaso, Rafa, era un tipo bonachón y muy dicharachero (de Guinea Ecuatorial, licenciado, con tres carreras universitarias), que nos gastaba bromas a mí y a otra niña que también venía de un colegio femenino.

—Vais a llegar al instituto y os vais a volver locas —nos decía.

—Anda ya —refunfuñábamos nosotras—. ¿Por qué va a ser eso?

—Porque os vais a encontrar a chavales en vuestra clase, chavales en la clase de al lado, chavales en la clase de enfrente, chavales por todas partes... y no vais a estudiar.

Con el paso del tiempo imagínate lo que ese comentario me parece: lo mismo que cuando lo escuché, una verdadera memez. Además, para cuando empecé el curso en el instituto, primero de FP (Formación Profesional, lo que hoy en día vendrían a ser los ciclos formativos, creo; nunca lo he tenido demasiado claro. Gracias LOGSE por hacerme un lío en la cabeza), ya había empezado a tener contacto con chicos: mi entrenador de baloncesto había decidido que, como parte de la pretemporada, jugásemos contra equipos masculinos. Así que, bueno, esa fue la forma en la que empecé a tener relación con chavales de mi edad más o menos. Pero, bueno, era un contacto muy concreto: se limitaba a la cancha de baloncesto, y sí, era contacto físico, porque en el baloncesto hay contacto físico, ya sabes, pero, fuera de la cancha, todo era hola y adiós. Poco más.

Empezar el instituto ya sí que supuso contacto habitual con chicos. Ahora tenía compañeros de clase. Pocos, porque en la rama Administrativa de FP siempre había más chicas que chicos; pero también me relacionaba con los nuevos amigos que hacían mis amigas del colegio que estaban en el mismo instituto. De ahí saqué una pandillita de chicos que también jugaban a baloncesto, con los que hacía pellas de vez en cuando (sí, me saltaba clases. ¿Y quién no?). Fue entonces cuando empecé a «fijarme» en los chicos para algo más que los partidillos de baloncesto a la hora de recreo y las pellas. Empezaba a encontrar guapos a algunos. Empecé a «enamoriscarme».

De adolescente nunca sentí que gustase a los chicos. Hablo de chicos blancos, que eran los chicos con los que me relacionaba entonces. En mi entorno cercano no había chicos que no fuesen blancos. Me sentía un poco la Patito Feo del grupo. Creo que ese sentimiento se debía al hecho de que en los años ochenta y noventa las mujeres negras teníamos una muy escasa representación en los medios de comunicación españoles. Seguro que recuerdas a Francine Gálvez, la primera mujer negra española que presentó el Telediario en Televisión Española, ahora La 1. Una referente, una pionera. Pero intenta hacer memoria: ¿recuerdas a alguna más? Si nos vamos a principios de los años noventa y hablamos de mujeres negras en televisión, seguro que la mente se te va hacia las *sitcom* estadounidenses: *La hora de Bill Cosby* (de la que ya te he hablado), *Cosas de Casa* y *El Príncipe de Bel Air*, por mencionar las más vistas.

Adoraba esas series. *Vivir con Mr. Cooper, Moesha, Martin, Un mundo diferente*... Eran los únicos momentos en los que podía ver en la televisión a personas que se parecían a mí. Eran personas negras, y me sentía identificada con ellas, a pesar de que culturalmente nos separaba un abismo. Pero se parecían a mí, tenían un color de piel similar al mío, y eso hacía que las sintiera cercanas. Ahora puedes recordar a algunas de las mujeres negras que veíamos con más asiduidad en la pantalla y que han quedado en nuestro recuerdo de manera permanente. Laura Winslow y Hillary Banks, ¿verdad?, además de la tía Viv, Ashleigh o Denise Huxtable. Hablaremos de ellas un poco más adelante. Pero claro, a nivel de representación de mujeres negras en las que yo, como adolescente, pudiera querer reflejarme, aparte de Naomi Campbell, Iman, Janet Jackson o Paula Abdul, se acababa la historia.

La cosa es que, si no había mujeres negras españolas referentes, y ya he mencionado a Francine, pero, y por supuesto sin desmerecerla, no se nos veía. A las mujeres negras en España no se nos veía. Punto. Si no se nos veía, no existíamos. Si no existíamos, no estábamos en el imaginario. Y si no estábamos en el imaginario, era imposible que gustáramos. Ante ese panorama de invisibilidad a nivel de gustar sentimental o sexualmente, más sentimentalmente que otra cosa, que yo en la adolescencia era muy pavisosa, la opción que me quedaba siempre era convertirme en la «Amiga Enrollada De Los Chicos». De todos. De los que me gustaban y de los que les gustaban a mis amigas. La amiga molona. La aguantavelas. La carabina.

Por aquel tiempo ya tenía pandillita con mis amigas, las de toda la vida, las del cole, y con algunos chicos. Mientras algunas de mis amigas empezaban a tontear con chicos, a tener sus primeros novietes y a darse sus primeros besos, yo me conformaba con hablar con el chico que me gustaba (y sin que él supiera que me gustaba, obvio); pero nunca pasé de ahí. Trece, catorce, quince años... y mis amigas ya habían empezado y terminado varios romances, se habían peleado con ellos, habían hecho las paces, me habían pedido que intercediera, había hecho de «corre, ve y dile»..., pero no había tenido ninguna experiencia propia. Ahí se empezó a fraguar en mí lo que ahora, en la edad adulta, designo como el Complejo de Fea. Sí, también en mayúsculas.

Creo que no hace falta que ahonde más en qué es el Complejo de Fea, ¿verdad? En cualquier caso, el Complejo de Fea me hizo desarrollar el desparpajo del que te hablo. Así que, como era simpática y estaba todo el día explicando chistes (madre mía, ¡me sabía montones de chistes!), caía en gracia. Pero no gustaba. Vaya, yo estaba convencidísima de que no gustaba. Y si gusté a algún chico, jamás me lo dijo. Porque, lo pienso, y para el chaval en cuestión también sería una movida si sus colegas se enteraban. «¿Cómo? ¿Que te gusta una negra?» Imagínate el percal, con catorce o quince años. Puede parecer exagerado, pero esos comentarios los he oído de mayor, así que no me extrañaría que también se hubiesen dado a más temprana edad. Pero, como nunca supe si gusté o no, yo me quedo con la sensación de que me pasé parte de la adolescencia siendo solo eso: la maja, la guay, la Amiga Enrollada. Nada más.

Cuando crezco, maduro, lo razono, lo bautizo como Complejo de Fea y lo hablo con otras mujeres negras, me llevo una sorpresa. La sorpresa es que es un sentimiento que ellas también han vivido. Muchas de mis amigas, hermanas, «hermigas» (término acuñado por mi queridísima Lucía Asué Mbomío para referirse a esas amigas que se convierten en hermanas), han tenido esa misma sensación. En la madurez me encuentro hablando con mujeres negras y, si son de mi generación, se han socializado en su entorno blanco de una forma muy parecida a la mía: ellas también fueron la Única Niña Negra Del Colegio. Ellas también desarrollaron su complejo de fea. Ellas tampoco sintieron que gustasen durante su adolescencia. Así que la primera vez que hablas con una mujer negra sobre el tema, y le planteas cómo te sentías, le hablas de esa invisibilidad, de sentirte la patito feo de tus amigas, de ser invisible para los chicos, tu interlocutora asiente y asiente y finalmente sentencia: «Bienvenida al club».

Mi pelo de adolescente

Llegó la adolescencia, una etapa muy crucial en la vida de cualquier persona, ¿verdad? Mi madre dejó de hacerme peinados con hilos. No sé cómo ni por qué, pero mi madre dejó de peinarme. No sé si yo me planté y dije un «Hasta aquí. No quiero más tirones», o si tal vez fue un «Mira, mami, ya soy mayorcita para que andes peinándome». No sé qué fue, pero los peinados con hilo se acabaron. Empecé a llevar mi pelo afro suelto. Alguien, tal vez yo, no sé, no lo recuerdo, me hizo un corte de pelo que ahora me parece horroroso, como muchas cosas de los años noventa, en realidad, pero que yo llevaba sin ningún tipo de complejo. Llevaba el pelo bastante corto... y un tupé. Era horroroso de verdad.

Mi pelo estaba ahí, pero no reparaba en él. No soy consciente de haberle prestado ningún tipo de atención ni cuidado especial. Por aquel entonces jugaba a baloncesto; entrenaba cuatro días a la semana y, además, tenía partido el fin de semana. Me duchaba, y me lavaba el pelo todos los días que tenía entrenamiento. Supongo que utilizaba cualquier champú del supermercado (en casa se solía comprar H&S), porque no recuerdo, de verdad que no, proporcionarle cuidados especiales. Mojaba mi pelo tanto como quería, siempre que lo necesitaba. Sin más.

No recuerdo cuándo ni cómo fue, pero sí que ocurrió un viernes por la tarde. Mi madre me dijo que había pedido hora en una peluquería de Barcelona para el día siguiente y que me llevaría para alisarme el pelo. Me limité a asentir sin darle muchas vueltas. Aquella iba a ser mi primera experiencia en una peluquería, porque de niña mi cabello estuvo en manos de mi madre; y pasada la infancia y entrada la adolescencia, como ya he dicho, el cabello no era un foco de atención para mí. Así que lo de ir a la peluquería era pasar a un nivel totalmente desconocido. Bueno, en realidad había habido una primera experiencia en una peluquería, pero no recuerdo que fuera para peinarme a mí. Fue en Madrid, en la peluquería de Niuma. Nos llevó la tía Susi, una amiga de mi madre que vivía allí...

Salgamos del flashback y volvamos a aquel viernes. Esa tarde me metí en el baño y me lavé el pelo. Ya que iba a la «pelu» por primera vez, consideré que era preferible ir con el pelo limpio. Además, nadie me dio ningún tipo de indicación, nadie me advirtió, ni siquiera mi madre, que también se alisaba el pelo, de que no hay que lavárselo cuando vas a someterlo a procesos químicos. Así que yo, a la «pelu» con mi cabecita y mi pelo bien limpitos. Aquel sábado, llegamos a la peluquería. No se correspondía con la imagen mental que me había formado sobre lo que eran las peluquerías. Me las imaginaba como espacios grandes, claros, diáfanos, asépticos, casi inmaculados. No. Aquella peluquería era un local pequeño, estrecho y oscuro. Ni mejor ni peor. Diferente.

El peluquero me hizo sentar en el sillón y empezó a manipular mi cabello, y mi cabeza, con mucha brusquedad, sin ningún tipo de delicadeza. Tampoco estaba acostumbrada a eso. Al cabo de un rato de dar vueltas por mi cabeza, el señor peluquero dijo:

—Traes el pelo limpio.

—Sí, me lo lavé ayer —respondí.

No añadió nada más. Cogió una caja en tonos rosas, o tal vez morados, en la que salía una mujer negra sonriente y con el pelo liso. «Hair Relaxer» ponía en la caja. El hombre sacó de la caja un tarro y una botella chiquita. Vertió el líquido de la botella en el tarro y se puso a remover. Aquello olía a rayos. Olía, de hecho, muy parecido a la crema depilatoria. A día de hoy, creo que si alguien me hubiese informado de todo lo que conlleva alisarse el pelo no lo hubiera hecho. Al final, la falta de información es uno de los problemas por los que muchas mujeres negras nos alisamos el cabello. Hay muchos más factores, seguro. Pero me parece que uno bastante significativo es que lo hacemos cuando no tenemos ni idea de cómo tratarlo en su forma natural y creemos que alisarlo es el camino fácil. O porque pensamos que es la única opción. Una causa añadida también puede ser, como me pasó a mí en su día, la falta de referentes en los medios de comunicación.

En los años noventa, el tema de los referentes no mejoró demasiado respecto a los de los ochenta. En mi adolescencia pasé de reflejarme en Rudy Huxtable para mirarme en Laura Winslow, de *Cosas de Casa*, y en Ashleigh y Hillary Banks, de *El Príncipe de Bel Air*. También veía a Naomi Campbell en el mundo de la moda, aunque poco, porque la moda no era algo que me interesase, y a Janet Jackson o Paula Abdul, dos de mis cantantes negras favoritas por aquel entonces, junto con las Salt'n'Pepa. Sea como fuere, la cosa seguía más o menos igual: mujeres negras con el cabello alisado.

Lo que veía a todas horas era más de lo mismo: un canon de belleza para mujeres negras que marcaba que nuestro pelo tenía que ser liso y nuestra piel tenía que ser más clara de lo que era. Ese era el canon que se nos imponía, y pasé por el aro de intentar adoptarlo alisándome el cabello, porque es lo que se vendía y aún se vende: la belleza del pelo liso. Por suerte no caí en la tortura de aclararme la piel, pero recuerdo ver en el baño las cremas que mi madre usaba para hacerlo después de usar la pastilla de jabón Asepso: Palmer's Skin Success Fade Cream, Tropifam o alguna otra similar y que no recuerdo.

Hoy en día me preocupa sobremanera que haya mujeres haciéndose *bleaching*, o sea blanqueándose la piel, por intentar seguir encajando en ese modelo que no es nuestro canon de belleza; el mismo canon de belleza blanca para mujeres negras que nos empuja a alisarnos el pelo. Tengo tendencia a relacionar el tema del alisado del cabello y del blanqueo de la piel con la historia del pueblo negro en Estados Unidos, con la esclavitud y con todas las reminiscencias que quedaron después de ella. En los mercados de esclavos se pagaba más dinero por los negros de piel más clara y cabello menos rizado. Eran los que podían aspirar a trabajar en la casa del amo. Las personas negras de piel más oscura y pelo más rizado, como una servidora, quedaban abocadas a vivir en la plantación. Servir en la casa del amo garantizaba una vida un poco menos dura, que no se confunda con más fácil, por favor, que la vida en el campo. Implicaba vivir en la casa, y vestir uniforme, en vez de harapos. ¿Fue este el motivo por el que algunas personas negras empezaron a aclararse la piel y a alisarse el pelo de forma rudimentaria? Tal vez consideraban que aclararse la piel y alisarse el pelo podía garantizarles unas condiciones de vida mejores, dentro de la casa.

Terminada la esclavitud, sin embargo, el alisado del cabello afro siguió presente. Recordemos a Garrett Morgan y a Madame C. J. Walker; sus aportaciones al mundo de la cosmética para personas negras fueron posteriores a la esclavitud. Y con el aclarado de la piel siguió pasando lo mismo. Se instauró el colorismo, *colorism* o *shadism* en inglés, una forma de discriminación según la cual las personas son tratadas de forma diferente sobre la base del significado social asociado al color de la piel. Y, cuanto más oscuras, más discriminación sufren.

A día de hoy muchas personas siguen sometiendo su organismo a la toxicidad del alisado y del blanqueo de la piel por multitud de motivos. Siempre digo, y seguiré diciendo, que cada persona tiene derecho a hacer con y en su cuerpo lo que le apetezca, siempre y cuando disponga de información para conocer la inocuidad o peligrosidad de los procesos a los que se somete. Al final, esto es como todo: cuestión de decisiones y estilos de vida más o menos saludables. Para mí, el problema suele radicar en que muchas veces las mujeres negras elegimos alisarnos sin saber los riesgos que eso conlleva. Y me consta que muchas mujeres dejarían de hacerlo si supieran la cantidad de tóxicos que contienen las cremas desrizadoras. Pero me voy a parar aquí y retomaré este tema algo más adelante, igual que el de aclararse la piel. Volvamos a la peluquería y a mi primera experiencia con el alisado, que es donde nos habíamos quedado.

El señor peluquero trasteaba mi pelo de un lado para otro después de preguntarme si me lo había lavado. Después de decirle que sí, el hombre procedió. El peluquero se situó detrás del sillón en el que estaba sentada, hizo una pequeña partición en horizontal en la parte de la nuca para sacar un mechón y empezó a untar en él aquella crema de olor apestoso. Hacía una partición tras otra en mi pelo desde la nuca hacia arriba e iba aplicando la mezcla en la raíz. Cuando ya me había puesto el producto hasta la altura de las orejas, empecé a notar que me picaba toda la parte del cuero cabelludo en la que lo tenía. Quise resistir, pensando que era normal, así que intenté tomármelo con calma. Al cabo de un rato el picor se intensificó.

Picaba mucho. Bueno, de hecho empezaba a notar sensación de quemazón. Eso era. Quemaba. Me estaba quemando. Detectar eso, que la crema me quemaba en la cabeza, disparó mi angustia. Se lo dije al peluquero.

—Me está quemando.

—Aguanta.

Esa fue toda su respuesta. Un «aguanta» seco y nada más. Aguanta. Se estaba haciendo bastante difícil aguantar con aquella crema quemándome la cabeza. Y cada vez estaba más nerviosa porque no podía aguantar. Tampoco podía revolverme en el asiento, porque tenía que permanecer quieta mientras el peluquero seguía a lo suyo aplicándome la crema. El dolor se agudizaba. Era tan intenso que ya no lo sentía solo en la cabeza. Me bajaba por la nuca. Miraba a mi madre sollozando «Me quema mucho» muy débilmente, pidiéndole que me diese la mano. El dolor seguía extendiéndose por mi cuerpo y ya me llegaba hasta los bíceps. Estaba cerca de perder la conciencia cuando mi madre le dijo al peluquero que me quitase la crema. Muy a regañadientes, el hombre me dijo que pasase al lavacabezas. El agua fría en la cabeza fue como una bendición. El peluquero, sin embargo, parecía fastidiado.

—Tenías que haber aguantado. Ahora tendré que alisarte la cabeza en dos veces.

—Es que no aguantaba más —le dije.

—Es que no tenías que haber venido con la cabeza limpia.

Ah. ¿Eso era? No tenía que haber ido con la cabeza limpia. ¿Era mi culpa? Más de veinte años después sé que no era mi culpa. Más de veinte años después pienso que, si el peluquero vio que tenía el pelo limpio, me podía haber dicho que lo dejábamos para otro día, que un tratamiento de esas características no se puede hacer con el cuero cabelludo limpio porque entonces está desprotegido. Pero no. El señor peluquero prefirió exponerme y ganarse el servicio de ese día. Después de quitarme toda la crema de la mitad posterior de la cabeza, me volvió a sentar en el sillón para aplicarme el resto del producto en la otra mitad. Afortunadamente para mí, y en vistas de lo que acababa de pasar, el peluquero decidió dejar la crema menos tiempo; así que en la parte delantera no llegué a notar la quemazón que había notado antes. No recuerdo qué más pasó en la peluquería. No recuerdo cómo me peinó el peluquero, o si me hizo algún tratamiento especial. El recuerdo de mi primera vez en una peluquería está marcado por esa experiencia dolorosa en el sentido más literal de la palabra.

Varios días después al tocarme el pelo lo notaba liso, muy liso. Todo lo liso que puede estar un pelo afro. Para mí aquello era increíble. Más increíble fue tocarme la cabeza y descubrir, de la mitad hasta la nuca, que mi cuero cabelludo estaba recubierto por una costra. Una costra enorme causada por la quemadura a la que me expuse. Claro. Era lógico que toda esa quemazón que estuve notando tuviese algún tipo de consecuencia física.

Ese primer alisado marcó el inicio de mi esclavitud estética. Porque, después de aquel alisado, vinieron muchos más. Evidentemente cambié de peluquería y, aunque nunca volvieron a quemarme de una forma tan brutal como aquella primera vez, normalicé la picazón e incluso cierto grado de quemazón y las costras... siempre y cuando no fuesen muy grandes. Ahora todo aquello se me antoja arriesgado e innecesario. Sin embargo ahí estaba yo, sometiéndome a aquella tortura cada tres meses. Lo peor de todo es que lo hacía de forma voluntaria, o eso pensaba.

Llevar el pelo alisado durante parte de mi adolescencia y mi juventud supuso imponerme determinadas restricciones y limitaciones. Cuando iba a la playa con las amigas y los amigos del instituto, o cuando iba a alguna piscina, me bañaba poco y, cuando me bañaba, ponía especial cuidado para no mojarme el pelo. Y todo eso lo llevaba en secreto, para mis adentros. ¿Qué iban a pensar mis amigas si les explicaba que el verdadero motivo por el que no me bañaba, aparte de que me encantaba estar al sol, era que no quería mojarme el pelo por lo que había sufrido alisándomelo? No sabía si lo iban a entender; pero así era.

Mojarme el pelo más de lo necesario, es decir, más allá de lavármelo una vez por semana, significaba que el alisado me duraría menos y que, por lo tanto, me tocaría volver a la peluquería antes de los tres meses habituales. Los amigos que, por hacer la gracia, pretendían hacerme ahogadillas o jugaban a salpicarme cuando estábamos en la playa eran víctimas de la más letal de mis miradas. ¡No podía mojarme el pelo! De la misma forma que si la lluvia me pillaba fuera de casa y sin paraguas era un drama. Entre todo este proceso también aparecieron en mi vida las trenzas con extensiones. Nuevamente mi madre, como precursora hasta ese momento de todos mis cambios de imagen, me llevó a casa de mis tíos para que una de mis primas me hiciera trenzas. Mi primera vez con las trenzas. La primera experiencia con las trenzas fue mucho más amable que la primera vez que me alisé, desde luego, pero también fue extenuante. Fueron algo más de ocho horas sentada, a ratos en una silla, a ratos en el suelo sobre un cojín, mientras mi prima Bikini cogía mechones pequeños de cabello y los mezclaba con mechones de pelo sintético de *kanekalon* para hacerme unas trenzas que me llegaban a media espalda.

Las trenzas supusieron, otra vez, una experiencia totalmente nueva para mí. ¡El cabello en mi cabeza se movía! Recuerdo que me hacía colas muy altas, casi en la coronilla, para que aquella multitud de trenzas se balancearan de lado a lado mientras caminaba. Era una maravilla. Aquello ya no era llevar una toalla o una camiseta en la cabeza como cuando era niña. Era llevar más pelo, ¡y largo!, y que se moviera como el de mis amigas. Me sentía feliz. Llevar las trenzas, además, me permitía otra cosa muy importante: espaciar las sesiones de alisado y, además, si las llevaba en verano, me permitían disfrutar de la playa, la piscina, los chapuzones y las ahogadillas como cualquiera, sin estar sufriendo todo el tiempo intentando que el pelo se me mantuviera alejado del agua. Empecé, así pues, a combinar las largas sesiones de trenzado con el cabello alisado suelto. Por aquel entonces solía llevar las trenzas entre tres y cuatro meses, así que era una buena oportunidad para descansar del alisado, aunque también es cierto que aquellas trenzas, recién hechas, apretaban cosa mala. Aun así, la hinchazón del cuero cabelludo desaparecía con una dosis de ibuprofeno para poder dormir la primera noche y, después de un par de días de manipular poco las trenzas, cuando ya se habían asentado, podía hacerme cualquier tipo de recogido.

Era la época en la que Lauryn Hill había aparecido con sus *microbraids* en *Sister Act 2*, así que tenía muchas ganas de replicar sus peinados. Se convirtió en otro referente para mí. Y volvemos al tema de los referentes. Qué importante me parece tener referentes. Es básico tenerlos. Recuerdo que, hace muchísimo tiempo, allá por 2011, cuando hacía poco que había abierto mi canal en Youtube, me topé con una *youtuber* que me encantó por su frescura, además de por ser tocaya de mi hija mayor. Hablo de África, del canal Largo y Natural.[18]

18. Aquí tienes el enlace al canal de África: <http://bit.ly/largoynatural>. Aunque hace tiempo que no sube vídeos, en él vas a encontrar mucho contenido interesante.

En uno de sus vídeos, África daba a entender que las mujeres negras tenemos una especie de complejo por querer adoptar una imagen más europea. Yo no creo que las mujeres negras estemos acomplejadas (ya, ya, estoy generalizando, lo sé), sino que siento que existe una presión por que adoptemos un canon de belleza que no es el nuestro, de belleza caucásica hegemónica del que vengo hablando hace un rato. Me da la sensación de que hemos pasado por el aro de intentar adoptar ese canon, alisándonos el cabello, porque es lo que se vende: la belleza del pelo liso, aclarándonos la piel, algo que yo no llegué a hacer, pero muchas mujeres de mi entorno sí. Se nos vendió que tenemos que tener la piel clara y el pelo liso porque esa es la belleza aceptada, la belleza estandarizada. Y llegamos a un punto en que muchas mujeres negras nos lo creímos.

Pero, claro, a mí me era muy difícil crecer pensando otra cosa, pensando que podía seguir llevando mi pelo natural y verme bella. De entrada, mi madre, que era prácticamente la única mujer negra con la que tenía relación permanente, se alisaba. Vivíamos las dos en un pueblo a cincuenta kilómetros de nuestra familia más cercana, así que tenía poca oportunidad de ver a mis tías y a mis primas. Las veía en las BBC, y, cuando las veía, constataba que ellas también iban alisadas, o con postizos, trenzas y pelucas. ¿Cómo iba a concebir la idea de llevar mi pelo al natural? En la televisión el panorama seguía siendo poco halagüeño. ¿Recuerdas que te he dicho que Francine Gálvez era la única mujer negra española que aparecía en televisión, presentando los informativos de Televisión Española? Pues ella también llevaba el pelo alisado. ¿Por qué iba a pensar yo que era una buena idea no alisarse el pelo? Además, todas las mujeres negras que tenía cerca, o relativamente cerca, se lo alisaban. Era «lo que tocaba». ¿Por qué no iba a hacerlo yo? De hecho, cuando mi madre me dijo que me llevaba a la peluquería a alisármelo por primera vez ni siquiera valoré la opción de negarme. Ella se alisaba, pues yo también. No le di más vueltas, aunque tengo que reconocer que, por aquel entonces, no le daba muchas vueltas a nada, la verdad. Era una niña dócil y conformista que no daba problemas, no plantaba cara y jamás replicaba (y menos a mi madre).

Siendo niña o adolescente, nunca vi a una mujer negra con su pelo natural. Ni en mi entorno ni en los medios de comunicación. ¿Cómo me iba a plantear que era plausible esa posibilidad si no la veía? Llegó una temporada en la que me cansé de llevar el pelo alisado, así que me dio por inventar. Quería probar algún look diferente. ¿Qué hice? Probé con el *Jheri curl*, aunque en mi entorno familiar se llamaba simplemente *curly*. Era como llevaba el pelo Lionel Richie. También estaba muy presente en la película *El Príncipe de Zamunda* de Eddie Murphy. Aunque en Estados Unidos el *Jheri curl* se puso de moda a partir de los años ochenta, a mí me apeteció mucho después, entrados los noventa. Así que cambié de peluquería para hacerme el *Jheri curl*.

Di con una peluquería en la que me lo podían hacer. El proceso del *curly* también pasa por alisar el cabello, por supuesto; el procedimiento adicional era que, después de haberlo alisado, había que poner unos bigudíes para conseguir ese look de cabello ensortijado. Me gustaba el *curly*. Sentía que era menos artificial que aquel cabello liso. Porque aquel cabello liso, inmóvil, como de cartón piedra, era horroroso. El *curly* me daba otro aspecto. Además, como usaba el activador Luster's SCurl «No Drip» (el bote blanco con las letras azules, ese), mi *curly* estaba siempre brillante. Eso sí: no podía ni tocarme el pelo de lo engrasadito que lo llevaba permanentemente. En aquella época yo misma me recordaba muchísimo a los padres y la abuela de Lisa McDowell, la novia del protagonista en *El Príncipe de Zamunda*, que tenían una empresa que comercializaba productos para el *Jheri curl*: SoulGlo. Imposible no acordarse de SoulGlo[19] y de la escena en la que los señores McDowell y la abuela se levantan del sofá y dejan marcada toda una mancha de aceite donde se habían apoyado.

Combinaba el uso del SCurl con otros dos potingues, según lo que encontrase en la tienda de Barcelona a la que tenía que ir a comprar los productos para cuidar de mi cabello, ya que en mi pueblito no tenía la posibilidad de encontrarlos. El segundo producto que solía usar para mi *curly* era el Pink, también de Luster's, inconfundible aquel bote rosa de letras negras, y el tercer producto era el Care Free Curl, de Soft-Sheen-Carson, el bote amarillo con las letras rojas. Cualquiera de los tres productos me dcjaba el pelo igual de pringoso. Le daban mucho brillo, pero en realidad no podía ni rascarme porque me dejaba los dedos aceitosos. Y así me sentía yo con mi *curly*. Brillante, pero grasienta.

El *curly* me lo hacían en la peluquería y del mantenimiento me ocupaba yo en casa. En ese aspecto, me sentía más libre: no me obsesionaba tanto mantener mi cabeza lejos del agua. Me daba la sensación de que el *curly* no me suponía tanta esclavitud y, por lo tanto, resultaba liberador, en parte. Todo iba bien hasta que, al día siguiente de haber ido a la peluquería a hacerme el *curly*, mientras masajeaba mi cuero cabelludo al lavarme el pelo, empecé a estirar lo que creía que era un enredo... y me quedé con un buen mechón de pelo enmarañado entre mis dedos. Mechones de pelo enteros, desde la raíz, se me habían caído y se me enredaban en la mano. En ese momento me vino a la mente la escena de *Jóvenes y Brujas* en la que Neve Campbell, a causa de un maleficio, empieza a cogerse mechones de pelo y ve horrorizada cómo se le quedan

19. Puedes ver en este vídeo el anuncio de Soul Glo y cómo el protagonista, después de verlo, se plantea hacer cambios en su cabello afro natural: <http://bit.ly/soulglo_>.

en las manos. Eso fue exactamente lo que me pasó a mí. Se me quedó un círculo de unos tres centímetros de diámetro apenas sin pelo. Casi como si me hubieran rapado. Los alaridos que di evidentemente asustaron a mi madre que entró corriendo en el baño temiéndose lo peor. Y es que para mí aquello era lo peor.

Una clapa en el centro de mi cabeza, un poco hacia la izquierda. No se me olvida. No tenía pelo allí. Lloré, por supuesto. Lloré como si aquello fuese el fin del mundo, como si mi vida ya no tuviera sentido. ¿Cómo lo solucionaría?

Hasta hace muy pocos años, yo era muy dramática. Así que, ante cualquier adversidad o situación crítica, lo que siempre hacía era llorar. Llorar, sacarlo todo, sentirme la persona más desgraciada del mundo, revolcarme en mi charquito de mierda. Después, habiéndolo llorado todo y estando calmada, ya podía resolver. Y eso hice. Cuando lo lloré todo y me recuperé del susto, decidí que era una buena idea hacerme trenzas. Las trenzas, al ser largas, cubrirían esa pequeña calva que me había quedado. Sí, eso iba a hacer. Y eso fue lo que hice. En ningún momento se me ocurrió ir a la peluquería a pedir explicaciones o a poner una reclamación. No sé si hubiera funcionado o no, pero no lo hice. Así que ahí me quedé, con mi calvita de tres centímetros de diámetro disimulada con las trenzas postizas. De nuevo, otra experiencia negativa en una peluquería muchos años después de la primera. Tomé la decisión de no volver a hacerme un *curly* nunca más.

El instituto

El colegio era un entorno familiar, un entorno seguro. Era un centro pequeño y todas las alumnas nos conocíamos. Allí todo estaba controlado. No había burlas, más bien lo contrario. Mis compañeritas, mis amigas, daban la cara por mí cuando alguien me insultaba y yo me quedaba paralizada, tal y como ya te he explicado.

No puedo contar historias de racismo en el colegio. Puedo contar historias de profesoras y monjas que nos hacían la vida imposible, que nos humillaban, con docentes de la vieja escuela, que nos daban a entender que éramos tontas cuando preguntábamos algo sobre la lección que no nos había quedado claro. Y así nos hacían sentir, porque al final dejábamos de preguntar para evitar exponernos ante el resto de la clase. Sin embargo, como ya he dicho, no puedo decir que sintiera que me discriminasen por mi color de piel.

El instituto fue otra historia, igual que mi adolescencia. El instituto era otro mundo. Implicaba tener que empezar de nuevo, en parte. Nuevas asignaturas, nuevas amistades, un entorno totalmente diferente y mucho más variopinto. Muchísima más gente. Allí fui foco de muchos estereotipos. En aquel instituto éramos muchísimos alumnos. BUP (Bachillerato

Unificado Polivalente, la actual ESO y parte de Bachillerato) y FP en el mismo centro. Había mucha gente..., pero casi no había personas negras. Puede que fuéramos tres. Dos chicas mestizas y yo. Ahí se acababa la cuenta.

Recuerdo que estuve en el punto de mira de un grupo de chicos y chicas raperos. *Bboys* y *Bgirls*. Un día uno de ellos se acercó a mí. Me querían en su trupe. Eran grafiteros y se pasaban las tardes pintando vagones de tren, y querían que fuese con ellos. Yo. Que no había tocado un bote de spray en mi vida. Pero era negra y, por lo visto, tenía que irme ese rollo. Se conoce que el miembro de los *Bboys* que iba a mi instituto llevaba un tiempo estudiando mis movimientos. Y finalmente me lo dijo: trupe, grafittis, vagones... Me dijo que al día siguiente su chica, que no estudiaba en el instituto, de hecho no sé ni si estudiaba, vendría a hablar conmigo al salir de clase. Para acabar de convencerme.

Al día siguiente no tuve escapatoria. El *Bboy* me escoltó hasta la salida, así que no existía la posibilidad de hacerme la despistada, salir por patas y, a posteriori, fingir que se me había olvidado. No hubo posibilidad. Y allí estaba ella, esperándonos. Era una chica muy bajita, con el pelo cortado a lo *garçon* con la nuca rapada, teñido de rubio amarillo y con las raíces muy negras. Y con la ropa muy ancha, como la de los raperos que veía en la tele, pero solo en la tele. Hasta que aquel *Bboy* y su chica se me acercaron, yo no había visto a nadie de carne y hueso vestir de aquella forma. La chica insistió. Otra vez las mismas palabras: trupe, grafittis, vagones... Yo no quería formar parte de su trupe. Y, por aquel entonces, lo de saltar la tapia de la estación de trenes para pintar vagones me parecía un acto vandálico y nada más.

—Si hace falta voy a tu casa a hablar con tu madre —dijo ella.

¿En serio creía que, si le decía a mi madre «trupegrafittisvagonespintados», me iba a dejar ir con ellos? Al final me las apañé para declinar amablemente la invitación. Ella insistió, yo me volví a negar; ella volvió a insistir, yo repetí que gracias, pero que no, gracias. Y ahí acabó la historia.

—¿Eres musulmana?

—No.

—Es que Malcolm X era musulmán.

—...

No entendía qué tenía que ver aquello conmigo. Malcolm X vivió (y murió) en Estados Unidos; yo era una chica española. No veía la relación..., salvo que ambos éramos negros. Vi a mucha gente intentando hacerme encajar en las ideas preconcebidas que tenían sobre las personas negras. Así que, bueno, tenía que ser musulmana, tenía que gustarme el hip hop y tenía que jugar al baloncesto. Y sí, me gustaba el hip hop y jugaba al baloncesto. Pero también bailaba flamenco y tocaba las castañuelas, porque el hijo mayor de mi Tata era un enamorado de Andalucía. Muchas veces me ponía a Camarón de la Isla, a Tijerita, a Junco, a Ecos del Rocío, a los Cantores de Hispalis. A veces me llevaba a la Casa de Andalucía de la comarca del Garraf. Él se sentaba en el bar de la Casa a arreglar el país con sus compadres, mientras Hecho Polvo, el perro mastín que, supuestamente, guardaba la casa, roncaba a sus pies.

Yo, que me aburría muchísimo, me colaba en el piso de arriba, donde se daban clases de baile, y de tanto ver los ensayos un día llegué a casa diciéndole a mi madre que quería bailar. Empecé por las sevillanas y luego seguí con el flamenco. Me encantaba bailar flamenco. Tocar las castañuelas me gustaba mucho. Y las actuaciones también. Los vestidos eran preciosos, y todo el ritual previo a salir al escenario también me encantaba: la emoción, los nervios en la boca del estómago antes de hacer el primer baile; las prisas en el vestuario, apretujadas, para los cambios de vestidos... Qué tiempos.

Lo que me diferenciaba de mis compañeras de baile era el tema del pelo y del maquillaje. Por aquel entonces llevaba un afro corto, seco y duro; y mi maquillaje se limitaba a la sombra de ojos y al pintalabios: con doce años no sabía si podía encontrar una base de maquillaje para mi tono de piel, así que lo más sencillo era no usar más que sombra de ojos, máscara de pestañas y barra de labios.

Quitando los momentos en los que alguien quería hacerme encajar en su idea de qué es ser negra, no tuve demasiados encontronazos. O, si los tuve, no fueron lo suficientemente graves para mí para recordarlos. Así que solo recuerdo un incidente. Andaba por los pasillos del instituto. No sé si era cambio de clase, si era el recreo o si había hecho pellas, el caso es que andaba por uno de los pasillos. Las aulas del instituto tenían dos puertas, una de las cuales siempre estaba cerrada. Esas puertas tenían una ventana de cristal a través de la que se veía el interior de la clase.

Pasé por delante de una de las clases y, para cuando llegué a la altura de la última puerta, un chico, que además me conocía porque solía jugar a baloncesto conmigo, se acercó al cristal sonriendo y pegó un papel en él. En el papel había escritas tres letras: «K K K».

De nuevo, me volví a paralizar. En el momento decidí no actuar, pero recuerdo que las siguientes veces que me topé con él, cada vez que me decía algo, yo añadía algo del estilo de «Claro, o a lo mejor me pegas o me matas, porque como eres del Klu Klux Klan...». La primera vez medio sonrió, pero como llegó un momento en el que, cada vez que se dirigía a mí, yo le sacaba el tema (que era del Klu Klux Klan), dejó de sonreír. Es más, llegó a pedirme que parase, que aquello no tenía gracia. Le respondí que tenía exactamente la misma gracia que para mí tenía haber visto las tres «k» escritas en un papel. Creo que lo entendió. Es curioso, ¿verdad? Las mofas son graciosas siempre que se ejercen desde una posición de poder o privilegio. Pero cuando esas mofas (que de graciosas no tienen nada) se las hacen a quien acostumbra a mofarse la cosa ya no le mola tanto, ¿no?

#PROFESRACISTAS

La asignatura era O. T. A. E. (Organización del Trabajo Administrativo y Empresarial). Era una de esas asignaturas consideradas «maría», ya no solo por el alumnado, también por la profesora que la impartía, a la que, a juzgar por su actitud, le apetecía tanto darla como a nosotros recibirla. Su consigna, por tanto, a principio de curso fue la siguiente: podíamos llevar vídeos de cualquier temática para verlos en la clase. Así que aunque la asignatura fuese sobre la organización del trabajo administrativo y empresarial, podíamos llevar vídeos de lo que fuese.

Al final del trimestre no había examen. Obvio, puesto que no había temario. Simplemente teníamos que presentar un trabajo de temática libre. Para aquel trimestre escogí la orografía de Cantabria. Sí, un trabajo sobre geografía para una asignatura sobre organización administrativa y empresarial. Saqué un notable. Madre era una apasionada de las enciclopedias y de cualquier obra que se presentase en fascículos. Eso hacía que en mi casa hubiera bastante material de Planeta de Agostini, aquella editorial tan de moda cuando yo era pequeña. Crecí en la época en la que los comerciales de las editoriales se apostaban en la puerta de los colegios para intentar cerrar visitas con las familias. Los representantes, los llamábamos en casa. Comerciales son ahora, pero, cuando yo era pequeña, eran representantes. De toda la vida.

Madre siempre picaba. En casa padecíamos de «fasciculitis» por culpa de mi madre: la Historia Universal, la Historia del Antiguo Egipto, el Mundo Animal, la Historia de la Música Pop, y la enciclopedia Larousse, por supuesto; también teníamos recopilaciones de premios Nobel de Literatura, la enciclopedia de las Razas Humanas, la enciclopedia de la Ciencia y de la Técnica..., podría seguir, pero se haría interminable. Algunas de aquellas obras se complementaban con material audiovisual, así que no sé de cuál de ellas exactamente saqué un documental en vídeo que me fascinó sobre las mujeres masái. El documental presentaba la organización social del pueblo masái basándose en la actividad de las mujeres y era muy interesante. Por eso decidí llevarlo a la clase de O. T. A. E.

Así que llegué a clase y le dije a la profesora que quería llevar el vídeo de las mujeres masái, y ella no se negó, claro; así cubría otra hora de clase. Total, que llegó el día, y yo, muy ufana, aparecí en clase con mi vídeo anunciando a mis compañeras lo que íbamos a ver. Digo compañeras porque en mi clase, aquello era 4° o 5° de FP Administrativo, solo había dos chicos. Me levanté y yo misma introduje la cinta de vídeo en el reproductor, apagué las luces y me senté, feliz de la vida porque mis compas iban a ver y aprender un montón sobre las mujeres masái. Cuando se terminó el vídeo, me levanté yo misma a parar la reproducción y a guardar la película, y la profesora, justo cuando estaba de pie frente a toda la clase, soltó, no sin retintín, lo siguiente:

—Oye, Desi...

—Dime, Maite.

—¿Y tú te imaginas ahí, en la selva, dando saltos?

Para cuando me volví y miré a mis compañeras, imagínate

lo que vi: caras de asombro. Caras de «no me puedo creer lo que ha dicho». Pero sí, lo había dicho. Me la quedé mirando mientras su pregunta resonaba en mi cabeza y la cara se me incendiaba por la rabia y la vergüenza.

—¿Te imaginas tú ahí, en la selva dando saltos, Maite? —le devolví la pregunta.

—Es que yo no soy masái —respondió sonriendo, como si eso lo zanjase todo.

—Es que yo tampoco —dije mientras me sentaba en mi silla.

Después de eso se hizo un silencio que no sé muy bien cómo se rompió. Lo que sé y recuerdo es que a partir de entonces la profesora se divertía haciéndome preguntas del tipo «¿Y qué se come en África?», como si yo tuviese que saber qué se come en toda África. Como si África fuese un solo país, o una sola ciudad, un lugar homogéneo con una única cultura. ¿No te parece absurdo? ¡Es que ningún sitio es así! Ningún sitio es homogéneo. Cada vez más, todos los lugares son el resultado de la suma, de la confluencia de personas de varios orígenes. ¿Por qué cuando se habla de África se habla del continente como si fuera Una Sola Ciudad? Es como la gente que dice «he ido a África». No, «queri», no has ido a toda África: has ido a Senegal, o a Gambia o a donde sea. ¿Podemos concretar, por favor? Gracias.

En la edad adulta he oído otras muchas anécdotas de otras personas no blancas que han sido humilladas por algunos docentes en aulas de instituto o de universidades. Personas que, como son la única o una de las pocas personas no blancas de la clase, tienen que callar mientras un profesor las insulta o las humilla delante del resto de la clase. Resto de la clase que otorga, porque calla. Supongo que tampoco saben muy bien cómo reaccionar. Pero, vaya, una manera de reaccionar es protegiendo a la persona agredida. Esta es una de las recomendaciones que daría si ahora mismo alguien me preguntase (como me pasa a veces en redes sociales) algo del estilo de «Oye, Desirée, ¿cómo puedo ayudar? ¿Cómo puedo ser una buena aliada?». «Buena aliada», como si alguien midiera el buenaliadismo y como si te fuesen a dar una medalla, como en los boy scouts. No, mira. Eso no funciona así. Pero, en cualquier caso, para ser «buena aliada», lo que hay que hacer es mojarse. Tomar parte. Y por tomar parte, evidentemente, me refiero a ponerse de parte de la persona agredida. El problema es el contexto en el que se produce la agresión. Es un profesor, un docente, humillando e insultando gratuitamente a un estudiante. Denunciarlo puede conllevar represalias, y siempre se presume que estas serán peores que dejar pasar el agravio. Al fin y al cabo, yo, que me vi en esa situación, lo único que quería era obtener mi aprobado y punto pelota.

Cuando, en la edad adulta, me han preguntado si no me planteé llevar el tema a la dirección del instituto o a jefatura de estudios, siempre he dicho que no. Es que ni lo pensé. Denunciar a la profesora por comentarios racistas podría haber sido aún peor que responderle delante de la clase como ya hacía. Y yo lo único que quería era terminar el curso y que aquella mujer me dejase en paz. A día de hoy, evidentemente no pienso lo mismo. Ni actuaría igual, claro está. A día de hoy te digo a ti, que me lees, que si estás en una situación similar a la que te acabo de contar la confrontes. Si no es directamente, si ves que tú a solas no puedes, busca el apoyo de otras personas. De personas que sean de tu entera confianza. Esto te lo digo porque habrá quienes, creyendo que te hacen un bien, te dirán que lo dejes correr, que no te molestes, que no pasa nada. Pero sí que pasa. Esto es racismo institucionalizado y hay que ponerle freno.

La noche

Siempre me ha gustado bailar. Siempre. No sé si lo hago bien o mal, pero me gusta. De pequeña empecé por el ballet. Duré poco. Me aburría. Le dije a Madre que ya no quería hacer más. Descubrí las sevillanas y el flamenco gracias a mi hermano José Manuel, el hijo mayor de mi Tata, como he contado antes. A veces me llevaba con él a la Casa de Andalucía de la comarca del Garraf (sí, esto tan largo era el nombre de la entidad, que se quedaba en Casa de Andalucía o en la Casa, para quienes íbamos). Allí, mientras él asistía a reuniones o charlaba en el bar, yo descubría las clases de baile. Y así empecé: primero sevillanas; luego, flamenco y actuaciones.

Después de los años de flamenco, llegó el hip hop; participé en un par de campeonatos de España y ya lo dejé. Y a continuación, la música *axé* de Brasil y sus coreografías llegaron a mi vida. Así que salía a bailar. Iba a un bar en Sitges donde ponían música *axé* gran parte de la noche. Daniela Mercury, Olodum, É o Tchan, Ivete Sangalo..., me sabía todas las coreografías. Estaba allí siempre y ya conocía a las camareras, todas brasileñas, que hacían las veces de animadoras, así que, cuando sonaba alguna canción con coreografía, una de ellas, a veces dos, se subía en la tarima y hacía toda la coreo para que la gente la siguiera. De tanto ir, y como ya me sabía todos los bailes, más de una vez, cuando las camareras-bailarinas estaban en la barra y no podían salir, me decían que subiera a la tarima a hacer la coreo. Me subía, hacía el baile entero y la gente me seguía. Al bajar, alguno me pedía una copa y tenía que explicarle que no, que yo no trabajaba allí.

Al final, llegó la oferta de trabajo. La rechacé. Antes de que te explique por qué, déjame que te hable de otra discoteca en la que me pasó algo parecido.

La discoteca estaba en mi ciudad. Se llamaba Fenit, pero anteriormente se había llamado Clip, y pocas veces se llenaba, o eso me parecía. Creo que era la primera vez que iba a Fenit. Aquella noche mis amigas y yo no quisimos salir del pueblo; a la única que tenía coche y permiso de conducir no le apetecía, así que no había mucha más opción. Acabamos en la discoteca de marras. El local no era muy grande y tenía dos ambientes. No recuerdo qué sonaba en el piso de abajo, pero no nos gustó y subimos al piso de arriba. En la planta superior ponían música pachanguera, salsa, merengue..., vaya, que daba más para bailar.

Estábamos solas las cuatro, así que aprovechamos que no había nadie para bailar dándolo todo y ocupando todo el espacio que nos dio la gana. Si alguna de las canciones que sonaba tenía coreografía, la bailábamos; y, si no, nos la inventábamos. La cuestión era divertirse y no dejar de bailar.

Empezó a llegar gente a la planta superior. Nosotras ya estábamos *on fire* con las coreografías, aprendidas unas veces e inventadas otras, y la gente nos seguía. Nos lo pasamos genial, nos reímos un montón y la gente bailaba con nosotras. Fue una noche divertida para no haber salido del pueblo. Estuvimos prácticamente hasta que cerró la discoteca, momento en el que se me acercó un señor mayor. Yo tenía unos diecinueve años; el hombre debía de tener unos cuarenta y pocos, así que para mí era un señor mayor. Se acercó con una sonrisa diciéndome que me había estado viendo bailar, y que le había encantado cómo habíamos conseguido llenar y animar la sala. Era el dueño. Venía con una propuesta: ya que habíamos conseguido animar el ambiente de la sala, que se había llenado de gente que bailaba y consumía, qué me parecería trabajar allí como animadora. No dijo «gogó». Dijo «animadora». Le miré recelosa. ¿Trabajar como animadora? ¿Trabajar bailando? Ok, no me parecía mal; sabía y podía hacerlo. Y si me iban a pagar por hacer algo que me gustaba, oye, ¿por qué no? Antes de hablar de los honorarios, había que hablar de condiciones.

—¿Y puedo venir a trabajar así, como vengo hoy, con vaqueros y camiseta de tirantes? —pregunté ingenuamente (bueno, en realidad no era ingenuamente, era con toda la intención del mundo, vale).

—Bueno, a ver —eso, a ver, pensé yo mientras el tipo se explicaba—, la idea es que vengas con un top y unos shorts, no sé, algo que deje ver más cuerpo.

—Pero la idea es que anime a la gente a bailar, ¿no? —pregunté.

—Sí, sí, claro.

—Pero ya has visto hoy que vestida como voy, la gente se ha animado y ha bailado igual, ¿no? —insistí.

—Ya, bueno, pero quedaría mejor si fueses con un top y unos shorts, ¿sabes?

Rechacé la oferta. Y ahora es cuando vuelvo al bar de Sitges en el que, si recuerdas, también había hecho lo mismo. Cuando rechacé la oferta de la discoteca fue porque no quería sentirme exotizada. El hecho de que me tuviese que poner un top y unos shorts ya daba, en mi mente, para que el local repartiese *flyers* con los ganchos que ya había visto más de una vez en los de otras discotecas: «mulatas calientes», «chicas hot»..., todas esas cosas no me gustaban un pelo.

Las camareras del bar de Sitges, que ya te he dicho que eran brasileñas y, por tanto, mestizas o con rasgos indígenas, iban también con sujetadores y tops, shorts cortísimos y zapatos con unas plataformas de las que yo me hubiese caído si hubiese intentado subirme. Aceptar el trabajo en el bar de Sitges hubiese implicado vestirme así. Y no quería. Yo solo quería bailar. No quería que me utilizaran como reclamo sexual para que el bar o la discoteca de turno se llenaran de hombres. Yo quería bailar, sabía hacerlo y podía llenarles el local de gente; pero querían que enseñara más piel de la que se veía con unos vaqueros y una camiseta de tirantes. Y a mí no me apetecía. Es muy fácil exotizar a mujeres no blancas y cosificarlas como reclamo para atraer a hombres bajo el eslogan de «mulatas calientes». Y me parece peligroso e innecesario, que es lo que tiene la exotización, y puede dar lugar, además, a comportamientos abusivos machistas y racistas.

Hola, bombón

Entré en la juventud, digamos que hablo del período que ronda los dieciocho años, de la mano del pavo (que arrastraba de la edad del ídem) y de mi Complejo de Fea, ahí, bien instaladito en lo alto. Para aquel entonces, me había besado con UN chico. UN beso. Un único beso. Y sin lengua. Y había sentido una sensación extraña que poco después supe que se llamaba excitación; pero, claro, qué iba a saber yo.

Por aquellas fechas, llevaba ya una temporada saliendo por Barcelona. La ciudad condal había abierto todo un nuevo mundo para mí. Discotecas donde sonaba la música que solo podía escuchar en mi habitación: R'n'B, funky, hip hop. Discotecas a las que iban personas negras. Teniendo en cuenta que solo veía a otras personas negras, y de mi familia, en eventos BBC, conocer a gente negra y joven de mi edad (y con la que no estaba emparentada) fue toda una novedad. Sentía como que había encontrado mi sitio. Sentía que podía pertenecer. Eran mediados de los años noventa. Empecé a conocer chicos y chicas a los que veía como mis iguales. Chicos negros y chicas negras que vivían en Barcelona, que estudiaban, que tenían hobbies, practicaban deportes, y los sábados y los domingos por la tarde iban a bailar. Sesión de tarde del sábado,

Soweto, cerca de Sant Andreu Arenal; sesión de domingo, Jamboree, en la mítica Plaça Reial. Y así fue cómo empecé a salir por Barcelona a partir de los dieciocho años.

Las sesiones de tarde del sábado en Soweto dieron paso a cenas rápidas en el McDonald's de Las Ramblas para acudir después a la sesión de noche en Jamboree. Quería estar en Jamboree a todas horas, claro. Cuando encuentras tu sitio, cuando sientes que perteneces, quieres quedarte donde te sientes bien, ¿verdad? Eso me pasaba a mí, y no me importaba que ir a Jamboree supusiera un trayecto de tren de una hora hasta Barcelona. Eso era lo de menos. Porque Jamboree era casa y estaba haciendo amistades allí. ¡Cómo no iba a ir!

Paralelamente, también empecé a salir por otros ambientes de la noche Barcelonesa con otras amigas. Torres de Ávila, Pachá, Otto Zutz... Curiosamente, por aquel entonces, los chicos blancos sí empezaban a fijarse algo más en mí, empezaban a verme. ¡Empezaba a ligar! Lo que me llama la atención ahora era cómo se iniciaban las conversaciones que tenía con esos chicos y, como verás, me han llegado a decir de todo:

—Hola, bombón. —Con la voz más seductora de la que son capaces.

«Hola, bombón» no es, desde mi punto de vista, la mejor forma para ligar. Al menos no conmigo. No me gusta que me llamen bombón. Porque no soy de chocolate.

—¿De dónde es una belleza tan exótica como tú?

Exótica. Ya estamos. Además, se supone que me tiene que halagar que me consideren exótica. Pues mira, no. No me gusta. Y tampoco me gusta que, para intentar ligar, lo primero que me pregunten sea eso y así. Primero por creer que me va a gustar que me vean como una «belleza exótica»; y segundo, porque, al preguntarme de dónde soy, ya asumen que no puedo ser De Aquí. En este punto tengo que aclarar algo que me he encontrado con el paso de los años, sobre todo a raíz de haber publicado el vídeo «Ser mujer negra en España». A la mayoría de la gente blanca que vio el vídeo se le quedó muy presente el hecho de que me moleste que me pregunten de dónde soy porque, claro, desde su punto de vista, se ve que «tengo que ser» de algún otro sitio.

Respecto a esto tengo algo que decir y es lo siguiente. Vamos a ver, a mí no me molesta que me pregunten de dónde soy, si surge en el contexto de una conversación. Es más, a veces según de qué se hable, soy yo la que en algún momento hace referencia al lugar donde nacieron mis padres. Lo que no me gusta es que alguien no sea lo suficientemente creativo para empezar una conversación con cualquier otra pregunta, como me pasó el primer día de clase en la facultad. Era media mañana y, roto el hielo, ya empezábamos a hacer corrillos y a presentarnos. Cuando llegó mi turno, dije mi nombre y de dónde era. Y una de las chicas que estaba allí, que además era del mismo pueblito que yo, me espetó:

—¿Y cuánto tiempo llevas en España, que hablas tan bien español?

O sea, ¿en serio? Hay formas y formas de preguntar las cosas. Y para preguntarme por mis orígenes no es necesario que des por sentado que soy de algún otro sitio, que jamás es España, porque en tu imaginario no cabe que haya personas españolas no blancas. Luego están las personas blancas que justifican con argumentos del estilo de «Pues yo estuve una vez en [inserte aquí el nombre de un país de población mayoritariamente no blanca de su elección] y me lo preguntaban un montón de veces y, oye, tampoco es para tanto». Claro. Claro que no es para tanto. Porque, del conjunto de toda tu vida, ¿cuánto tiempo has estado en ese país? ¿Dos semanas de vacaciones? ¿Tres meses de voluntariado? La cosa cambia cuando, en el sitio en el que vives porque has nacido en él, te lo pregunta cualquier persona en cualquier ocasión. Eso, te lo reconozco, desgasta.

Desgasta y cansa. Como me pasó aquella noche en Pacha Sitges con un elemento que pretendía ligar conmigo.

—Hola, guapa.

—Hola.

—¿De dónde eres? —me preguntó.

—De aquí —respondí.

—¿De aquí? —Claro, no le cuadraba que, siendo negra, fuese De Aquí.

—Bueno, de aquí no —precisé, y en su cara se dibujó un gesto como de triunfo, como de «estaba en lo cierto»—. Del pueblo de al lado.

Mi respuesta sembró el desconcierto en su rostro por un momento. ¿Como que del pueblo de al lado? Algo no estaba bien. Había que llegar al fondo de la cuestión, a la verdad:

—No, va —insistió—. ¿De dónde eres?

—Te lo acabo de decir. De aquí.

—No, pero ahora en serio. —Se puso jocoso porque pensó que yo bromeaba, aunque estaba seria.

—Otra vez: de aquí.

—¡Anda ya! —Se rio, y a continuación, la sentencia—: Tú «no puedes» ser de aquí.

Te imaginas mi cara en ese momento, ¿verdad? Le hubiera fulminado. De verdad que sí que le hubiera fulminado.

—¿No puedo ser de aquí, dices? —le pregunté—. ¿Y eso por qué?

—...

Se quedó inmóvil por un momento, se le congeló la sonrisa y empezó a titubear.

—¿Es porque soy negra? —le espeté—. ¿Como soy negra no puedo ser de aquí? ¿Es eso?

El muchacho ya no sabía dónde meterse. La risita jocosa había desaparecido y daba la sensación de que estaba algo incómodo.

—Oye, pero escucha una cosa —le dije—. Que si tú te quedas más tranquilo, yo te digo que acabo de llegar de Zimbabue y que tengo la patera en el puerto, ¿vale?

Ahí terminó la conversación. Le invité a que se fuera por donde había venido y «¡chao, pescao!».

Después de aquel «Hola, bombón», a veces alguna conversación fluía. Pero en otras ocasiones se convertía en un despropósito, en una retahíla de topicazos a cada cual peor. Algunos de ellos (si no la mayoría) se daban en situaciones de este tipo:

—¿Sabes qué? —Sonrisa picarona—. Nunca he estado con una mujer negra.

La confesión tiene variantes. A saber: «Nunca he estado con una negrita», «Nunca he estado con una morenita», «Nunca he estado con Una Chica Como Tú». El comentario se hace como una confidencia. Como algo supersecreto. La verdad es que a mí me deja fría. Es decir me da igual que hayan estado con una mujer negra como si no lo han estado. Además, no sé con qué intención me hacen ese comentario. ¿Con intenciones puramente informativas? ¿Con intención de que yo sea la «afortunada» que abra el cupo? Mira, no. Yo no estoy aquí para completar los cupos de exotismo de nadie.

Hablemos de lo que viene después de la confesión, que es lo que comentaba antes. Preguntas para confirmar sus estereotipos, sus ideas preconcebidas sobre cómo es el sexo con las mujeres negras. Ideas basadas en mucha leyenda urbana y en un consumo excesivo de porno *mainstream*. Son preguntas que presuponen un determinado comportamiento de las mujeres negras en el sexo, y dan rabia. O risa, a veces, no sé. Júzgalo tú: «¿Es verdad eso de que las mujeres negras sois unas fieras en la cama?», «Las mujeres negras tenéis que hacer unas mamadas con esa boca...», «¿Es verdad que las mujeres negras tenéis la vagina más grande? Por lo de los penes de los hombres negros y tal...».

En los últimos tiempos, cada vez que me han preguntado si las mujeres negras son unas fieras en la cama, me limito a responder que no lo sé, que no he estado con ninguna. Se ríen. Les miro seria hasta que dejan de reírse.

Para ser negra, eres muy guapa

Desafortunadamente esta es una frase que hemos oído muchas mujeres negras, y, si te paras a pensarlo, tiene mucha miga. Para mí es uno de los efectos colaterales de la exotización a la que se somete a las mujeres no blancas. Lo digo porque no solo nos pasa a las mujeres negras. Seguro que en algún momento has oído a alguien decir algo similar de alguna mujer asiática: «Ay, pues para ser china (aunque no sea de China) es guapa».

Se nos tiene por exóticas (a cualquier mujer no blanca; insisto: no es solo un mal que nos afecte a las mujeres negras) porque nuestra imagen está lejos de lo que la Sociedad y los Cánones de Belleza Socialmente Aceptados tienen por bello. Dentro del canon de belleza eurocéntrica (cabello lacio y largo, piel clara, figura delgada) las mujeres no blancas no encajamos. Bueno, es que ni siquiera muchas mujeres blancas encajan dentro del canon, para qué nos vamos a engañar.

Sin embargo, con la exotización, algunas tienen la suerte de ser consideradas guapas. Podemos ser guapas, pero poco, ¿vale? No demasiado. Y de ahí la frase de marras: para ser negra eres muy guapa.

La exotización reduce a cualquier mujer no blanca a la categoría de cosa, de menos persona; y por eso, sobre todo en el caso de las mujeres negras, se comparan algunos de nuestros atributos con eso, con cosas. Pasa sobre todo con el pelo. Te lo tocan, sin permiso muchas veces, y te encuentras con comentarios como: «Uy, pero si es como el estropajo Nanas», «Anda, ¡pero si parece algodón! No pensé que fuese tan suave». Un estropajo. Y eso, como dicen mis amigas Elena y Mayoko, te lo dicen como si fuese un halago, como si fuese algo que nos tuviese que agradar. Como si tener el pelo como un estropajo fuese bonito. Y así nuestro pelo puede ser algo catalogado, en la escala de Aspereza-Suavidad, como algo que está entre el estropajo y el algodón.[20] Nuestra piel es ébano, chocolate, canela, *tofe*, café con leche..., y hasta las marcas de maquillaje usan esos nombres para las gamas más oscuras de sus bases. Todo por la exotización. Pero me tiene que gustar que me consideren exótica. Es más: me «tiene que» gustar y «no me puede» molestar. No se me permite que me moleste ese calificativo. Porque, como lo dicen con buena intención y para halagarme, termino siendo una desagradecida si lo rechazo. Y, por más que lo explique, no se me entiende. Pero, mientras se me compare con cosas y se me tenga por menos persona, la exotización no me va a gustar. Porque no me gusta que se me mire como una rareza, como si fuese un animal de zoo. Animal de zoo he dicho, sí. ¿Lo encuentras exagerado? Puede ser, pero déjame que te cuente algo. Otro de los males de la esclavización de personas africanas fue la creación de zoológicos humanos por toda Europa. Los europeos viajaban a África y, además de llevarse a personas para explotarlas en sus plantaciones y en sus casas, también enjaulaban a algunos «ejemplares» para exhibirlos, pues eso, como animales de

20. Te invito a que veas este vídeo que grabé con varias amigas sobre qué cosas no decir a personas con el pelo afro: <http://bit.ly/cosaspeloafro>.

zoo. En Madrid, en el parque del Buen Retiro exactamente, y en Barcelona hubo exposiciones de personas. Zoológicos humanos.

Igual consideras que lo de los zoológicos humanos pasó hace mucho y que ya está bien de dar la turra con eso y que qué piel más fina y que hay que pasar página y todo eso. Pero ¿sabes qué pasa? Que hubo ciudades europeas en las que se mantuvieron los zoológicos de personas hasta la década de los cincuenta. De eso no hace tanto. Y de la misma forma que Barcelona anunciaba que tenía «negros salvajes» en exposición (que también tiene tela), en otras ciudades se anunciaba a las personas negras como exóticas. Y de ahí toda esta broma. Y no. No voy a dejar de hablar de las consecuencias que a día de hoy sigue teniendo el genocidio que se produjo en África con la colonización, ni de lo que supuso e impuso la esclavitud para las personas esclavizadas y para quienes estamos aquí porque nuestras ancestras sobrevivieron. No voy a dejar de hablar de ello porque es un tema del que necesito seguir hablando. Las personas blancas se quejan porque hablamos de la esclavitud cuando para ellas no supuso ninguna pérdida, ningún menoscabo en su dignidad. La colonización de los territorios terminó hace apenas cincuenta años, cuando los últimos territorios de África recuperaron la libertad que se les había arrebatado. Cincuenta años, después de siglos de expolio, abuso, vejaciones y asesinatos, no es nada. Así que, sí, vamos a seguir hablando de ello.

El hecho de que un cuerpo se considere exótico y que, además, se exhiba dentro de una jaula de un zoo o de un circo crea la sensación en el visitante o espectador de que el cuerpo enjaulado puede ser tratado de forma poco respetuosa. A fin de cuentas, si está enjaulado, debe de ser porque es un ser inferior, ¿no? Y ya sabemos cómo tratamos a nuestros inferiores. Esto era lo que permitía que esos cuerpos racializados, cosificados y exotizados se convirtieran en «algo» que se podía tocar sin consentimiento. Porque estaban encerrados y se volvían poco más que fetiches. Y eso lleva a que aún a día de hoy, y como ya he dicho antes, muchas personas negras veamos cómo de repente alguien se atreve a tocarnos el pelo sin siquiera habernos preguntado, invadiendo nuestro espacio por completo.

De vez en cuando, cuando hablo de la invasión que representa que me toquen sin que yo quiera, me llaman susceptible, me dicen que las personas como yo nos discriminamos solas. Que vemos problemas donde no los hay. Que qué tiene de malo. Otras veces la persona me dice, como si fuera lo mismo, como si la carga y las connotaciones fueran las mismas, que ella tiene el pelo largo y liso y que también se lo tocan mucho. Ajá. Muy bien. Y, en última instancia, se recurre a la madre de las justificaciones: la curiosidad. Que la gente toca el pelo por curiosidad, que no hay malicia, que no me puedo molestar. Pues oye, métete la curiosidad y las manos en los bolsillos, pero no invadas mi cuerpo. Y, sobre todo, no lo hagas si no me conoces de nada en absoluto. Si nos vamos conociendo, si tenemos contacto de forma habitual, veremos qué pasa con el tiempo, veremos si te dejo tocar... después de que me pidas permiso; pero a las bravas no me vas a tocar el pelo.

Esto pasaba (y sigue pasando) cuando la normalidad era ser blanco o blanca. Las personas no blancas eran algo que suscitaba curiosidad. Eran cuerpos que se tenían por algo que generaba fascinación o aversión. Y muchas veces me parece que no superamos las connotaciones que la exotización nos endilgó a las mujeres negras. ¿O tal vez la cosa es que no interesa superarlas? Lo digo porque a día de hoy sigue habiendo medios de comunicación que siguen considerando exóticas a las mujeres negras. Y este hecho nos presupone un determinado comportamiento sexual: las mujeres negras siempre estamos dispuestas para el sexo, y además somos salvajes en la cama. Lo de atribuirnos ese salvajismo puede que tenga su origen en cuando se nos encerraba en jaulas.

Pero no te vayas todavía, ¡aún hay más! Si por ser negras somos exóticas, y eso, de alguna manera, significa que siempre tenemos ganas de sexo y somos tan salvajes, todo esto me lleva a pensar en lo siguiente: se nos percibe como promiscuas. El cliché de la promiscuidad, además, normaliza y legitima el acoso y el abuso sexual sobre nosotras; y la atribución del exotismo por la colonización siempre ha estado ligada al abuso sexual y a la violencia hacia las mujeres negras. En la película *Doce años de esclavitud*, el papel de Lupita Nyong'o da clara muestra de lo que digo. Y lo puedes leer en cualquier texto que hable sobre la esclavitud. Los dueños de las plantaciones abusaban sexualmente de las mujeres esclavizadas con frecuencia. Así que no, no doy las gracias cuando una persona quiere halagarme llamándome exótica. No doy las gracias porque no me hace ni pizca de gracia ni me siento halagada, vamos. Y tampoco sonrío cuando me dicen, como alguna vez me ha pasado, que para ser negra soy muy guapa. Ya no sonrío más.

Edad adulta

Mi pelo en el año 2000

Fui de peluquería africana en peluquería africana, buscando a alguien que tratase mi cabello un poco mejor sin mucho éxito. Fue entonces cuando descubrí las peluquerías latinas. Creo que fue mi madre también quien me dio la dirección de una peluquera dominicana cerca de Via Laietana, en Barcelona (en Barcelona siempre, a cuarenta y cinco kilómetros de donde vivo), que trataba bien el pelo afro. Así que para allá me fui.

La peluquería de Lucía me pareció un sitio muy peculiar. Atendía sin cita, según el orden de llegada de las clientas, y había mucha más gente de visita que clientas peinándose. La música siempre estaba puesta, siempre había alguien que traía cervezas frías, tanto para la dueña y las empleadas como para las clientas que las pedían; y si te pillaba la hora de comer en la peluquería, siempre había alguien que se ofrecía a ir a buscar, previo encargo, algo de comida a un bar dominicano que había bastante cerca. Aquel sitio, además de una peluquería, era un punto de reunión. Me encantaba.

La peluquera, Lucía, llevó el alisado de mi cabello a la siguiente dimensión. Ella no solo se dedicaba a alisar el pelo; también hacía tratamientos profundos. Ya que el alisado era agresivo, había que cuidar el cabello. Fue entonces cuando empecé a familiarizarme con el *Penetraitt*.[21] Además, el proceso de peinado no se acababa con el alisado. Después de tratar el pelo con los productos para alisar —creo que fue por aquel entonces cuando me pasé al alisado para niñas, que era un poco menos agresivo que el de adultas—, venían los rulos y el rato interminable bajo el secador. Y después de salir del secador, llegaba el secador de mano con el cepillo redondo y, para finalizar, la plancha. Ahí sí que ya sucumbí del todo a los procesos del cabello alisado. Ya no me lavaba el pelo en casa siquiera. Iba cada semana a la peluquería. Cada sábado, claro. Invertía todo mi sábado en el salón. Eso suponía salir de casa a eso de las ocho y media de la mañana para coger el tren e intentar llegar a la peluquería antes de que abriera a las diez, y ser una de las primeras en ser atendida y que así, por lo menos, me quedase la tarde libre. El día que me dormía y llegaba a la peluquería más tarde, hacia las once, ya había varias mujeres a las que atender delante de mí, así que me tocaba quedarme en la peluquería mucho más tiempo de lo deseado.

Pasaron los años y me vi en la tesitura de tener que reconocer que ir cada semana a la peluquería se llevaba una parte muy importante de mi presupuesto mensual, así que tuve que plantearme cambiar de hábitos. Por aquel entonces ya vivía en pareja con el que no mucho después se convertiría en mi marido. A veces también se pasaba el sábado conmigo en la peluquería. Y si pasarse más de cinco horas en una peluquería sin tener nada más que hacer, solo por hacerme compañía, no es amor, entonces yo ya no sé qué lo es.

Llevaba tanto tiempo yendo a la peluquería que creí que podía empezar a tratar mi cabello en casa. Así que, excepto

21. *Penetraitt* es un tratamiento de la marca de productos para el cuidado del cabello Sebastian. Es una mascarilla que fortalece y repara el cabello sometido al estrés causado por el uso de químicos y calor.

para alisarme, el resto decidí hacerlo yo y ahorrarme el viaje y el dinero de los servicios de la peluquera. Invertí en un secador y una plancha profesionales, en rulos, en un casquito secador y en un par de cepillos redondos. También me compré pinzas del pelo y una redecilla para hacerme la toga por la noche y envolver mi pelo para dormir. La toga me permitía mantener el pelo liso y recogido por la noche, de manera que todo el tiempo invertido debajo del secador y después con el cepillo y la plancha duraba más o menos bien toda la semana o, como mucho, a la mañana siguiente me pasaba la plancha y listo.

La toga se usaba mucho tiempo atrás, antes de que los secadores fuesen un electrodoméstico de uso común en la mayoría de los hogares, y evidentemente muchísimo antes de que se comercializasen las planchas para el pelo. Yo la conozco por el nombre de toga. Sé que también se le llama toca, pero desconozco si tiene otros nombres, que seguro que sí. Para hacérmela, cogía mechón por mechón y los ponía como si quisiera envolver mi propia cabeza con ellos, como si de un turbante se tratase. Al ser mi melena corta, no llegaban a dar la vuelta completa a la cabeza, claro está. Fijaba los mechones con pinzas y por encima me ponía la redecilla.

Tiempo después, cuando empecé a escribir el blog y en algún momento hablé de proteger o recoger el cabello para dormir tapándolo con pañuelos de satén, algunas mujeres comentaban que no lo hacían por lo que pudieran pensar sus maridos. La verdad es que nunca me importó lo que fuera a pensar mi marido, ni creí que tuviera nada que pensar al respecto. Siempre pensé, y sigo pensando, que el cabello es mío y yo decido cómo cuidar de él. Si mi marido hubiese hecho alguna mofa o comentario negativo al respecto, nos hubiéramos sentado a hablar del tema para hacerle entender que los cuidados que yo le dispensaba a mi cabello no son cosa de risa, y ahí se hubiera acabado el tema. En mi cabeza, igual que en el resto de mi cuerpo, decido yo, igual que él decidía en la suya y tan pronto se dejaba el pelo largo, como se lo cortaba, como se lo rapaba al cero y luego se lo volvía a dejar crecer. Yo nunca hice ningún comentario. No veía por qué él tenía que hacérmelos a mí. Y todavía menos en sentido negativo.

Lo que quería decir es que, entre todos los utensilios que compré más la técnica de la toga, empecé a cuidar de mi cabello —excepto alisar, pues eso lo seguía haciendo en la peluquería— en casa. La verdad es que la inversión de tiempo también era significativa, ya que no tenía que desplazarme con tanta frecuencia, así que ahorraba en gasolina, peajes y aparcamiento, o en billetes de tren. En cualquier caso, el sábado por la mañana lo dedicaba por completo a cuidar de mi pelo: lavar, hacer el tratamiento correspondiente, ponerme los rulos, quedarme como veinte minutos bajo el secador, quitarme los rulos, pasarme el secador de mano con el cepillo redondo y terminar con la plancha. Y así cada sábado.

Fue entonces cuando, además de las trenzas postizas, se me ocurrió probar ponerme extensiones de cabello natural. Era la forma de lucir una melena larga y lisa, bueno, ondulada, bastante más larga de lo que yo acostumbraba. Mi pelo crecía tan despacio que siempre lo veía de la misma medida. Además, la peluquera era muy aficionada a la tijera, así que, cada tres meses, cuando iba a alisarme allí, me cortaba un «chin las puntas». Así que, bueno, mi cabello estaba sano, sí; pero siempre, absolutamente siempre, lo veía de la misma medida.

Hay diferentes formas de poner las extensiones. Una de las formas es trenzar todo el pelo con *cornrows* (trenzas de raíz) y, por encima, poner cortinas de cabello cosidas a las trenzas. A mí me dejaron toda una capa de pelo mío alisado y, por debajo, me pusieron las extensiones, mechón por mechón, trenzando un poquito en la raíz. Quedaba muy natural y al llevar tan poco trozo trenzado en cada mechón y que, además quedaba cubierto por mi propio pelo, era imperceptible. En cuanto a cuidados, seguía haciendo exactamente lo mismo que con mi pelo alisado: lavado, secador con rulos, secador de mano con cepillo redondo y plancha. No hubo demasiadas modificaciones en cuanto a eso.

Las parejas mixtas

En cualquier relación entre personas, sentimental o no, siempre hay discusiones. Es un hecho; no le estoy otorgando connotaciones positivas ni negativas, simplemente pasa. Las diferencias de opiniones es lo que tienen, que generan discusiones. Si entramos en el terreno de las relaciones sentimentales, pues lo mismo: hay discusiones, evidentemente, y a un nivel, tal vez, solo tal vez, más profundo que el nivel de discusiones que tienes con tus amistades.

A las posibles discusiones, fricciones y malentendidos habituales, súmale todo lo que pueda conllevar el hecho de que en tu pareja veas actitudes y comportamientos racistas. En varias ocasiones me han pedido, a través de mensajes privados en redes sociales, que me pronuncie sobre las relaciones mixtas, y siempre he intentado evitar el tema. No sé muy bien por qué, pero he intentado escurrir el bulto. Además, lo que yo pueda decir es solo eso, una opinión. Nada que siente cátedra, ni mucho menos. Lo que me suelen preguntar normalmente es si estoy a favor o en contra. Pero es que no es tan sencillo como si me parecen bien o mal las parejas mixtas. Vaya por delante, además, el hecho de que yo he formado parte de una pareja mixta. Durante quince años he tenido una relación con un hombre que, además de ser el padre de mis hijas, ha sido un compañero y cómplice maravilloso al que estoy inmensamente agradecida de haber conocido y al que, ya no como marido, pero sí como amigo, sigo queriendo mucho. Aquí lo fácil sería decir que no estoy ni a favor ni en contra de las parejas mixtas. Que de lo que estoy a favor es del amor, y santas pascuas. Capítulo terminado.

Pero claro, también estoy a favor de las parejas no mixtas. Entonces... ¿qué hago? Pues meterme en camisa de once varas e intentar explicarme. No estoy en contra de las parejas mixtas, y menos cuando el padre de mis hijas es blanco. Lo que sí es cierto es que, cuando tu pareja no es blanca, hay ciertas cosas que no tienes que explicar. Hay un tema que siempre planea sobre las parejas mixtas: la conveniencia. Hay una línea de pensamiento que cree que la persona negra está con la persona blanca por infinidad de razones interesadas. Los «papeles» (porque, claro, como todas las personas negras venimos De Fuera...); conseguir estatus, beneficiarse personalmente de alguna forma... Y después están algunas que se plantean las relaciones sentimentales con personas negras en plan humanitario. Recuerdo la vez que fuimos a una comida que organizaba una amiga, y a la que asistía mucha gente, pero no todos nos conocíamos. A la hora de recoger la cocina, se me acercó un tipo que, con su marcado acento catalán, y a pesar de que yo le hablaba en catalán, insistía en hablarme en castellano (este fenómeno siempre me resulta gracioso). Después de hacerme varias preguntas, se acercó a mi marido a loar lo bueno que era él por estar conmigo. No sé, como si me hubiera sacado de la selva y me hubiese evangelizado. Todo esto, insisto, de boca de una persona a la que veíamos por primera vez. Fue todo muy desagradable e incómodo. La mayoría de veces no es tan exagerado (aunque algunas es incluso peor), pero sí hay ciertos comentarios que molestan.

Más cosas. Si tu pareja es blanca, puede que, sin saberlo, tenga actitudes racistas (no estoy diciendo que sea racista, sino que tenga actitudes aprendidas por el contexto en el que se haya criado y educado) y tengas que estar dándole toquecitos de atención para que se revise y vea y, sobre todo, entienda cómo te afectan esas actitudes y esos comportamientos. Porque, en este punto, se hace necesario decir una cosa: si eres una persona blanca, el hecho de que en tu familia haya UNA persona negra no te convierte automáticamente en no racista. Me da igual que sea tu pareja, tu hija, tu cuñada o tu sobrino. Eso no te exime de que tengas que revisar tus actitudes, porque eres fruto de una educación de tradición colonialista, igual que yo; y eso, te lo tengo que decir, tiene un peso. Sigamos.

Cuenta que, además, esa persona blanca tiene una familia, y puede que también oigas comentarios que..., bueno, según cómo estés ese día, te pueden afectar más o menos. Comentarios racistas, xenófobos, cadenas y chistes en el grupo de WhatsApp de la familia... son cosas que puedes encontrarte y que te hagan sentir mal. ¿Qué haces entonces? ¿Lo dices en el grupo? ¿Te enfrentas personalmente a quien lo ha dicho? ¿Usas a tu pareja de filtro? En cualquiera de esos casos, te expones a la incomprensión que ya es habitual cuando señalas una conducta, comportamiento o comentario racista: que te digan que exageras, que lo sacas de contexto, que «Cómo puedes pensar que yo sea racista, con lo que te quiero». Si te fijas, no son comentarios diferentes de los que puede hacer cualquier otra persona ante el momento fatídico en el que le señalas un comportamiento alentado por un prejuicio. Lo que pasa es que, en este caso, hablamos de tu pareja, de la persona que te quiere, a la que quieres, y con la que tal vez convives. O quizá hablamos de su familia, a la que ves a menudo. Y entonces duele más, te lo aseguro. Duele mil veces más.

Lo único que puedo ofrecer aquí son reflexiones. ¿Vale la pena decir algo? Porque exponerse a que te acusen de hacerte la víctima mina la moral, te lo digo. Y cuando es alguien a quien estimas, todavía más. Has decidido señalarle a alguien a quien quieres un montón una conducta racista. Te ha costado la vida tomar la decisión; pero precisamente porque es alguien de tu círculo cercano no puedes callarte, se lo tienes que decir. Le das mil y una vueltas, sopesas pros y contras y, al final, te arrancas y lo dices. Y de repente ves cómo esa persona es presa de la fragilidad blanca. Y te dice que bueno, que por qué te lo tomas así, que es una broma. Y ves la condescendencia con la que te pide perdón porque eres tú, pero que no cree que lo que haya dicho o hecho sea para tanto. Y dentro de ti crece un sentimiento raro, de rabia, tristeza e incomprensión. Y sientes ganas de llorar. Y lloras, claro. Y zanjas la conversación como puedes, no como quieres, siendo consciente de que las cosas han cambiado entre esa persona y tú. Que a esa persona tal vez no le importe dentro de un par de días; pero para ti ya se ha marcado un antes y un después.

No digo que en todos los casos la respuesta vaya a ser en ese plan; pero también pasa que, a veces, cuando señalas una conducta o un comentario racista, la persona a quien se lo señalas tiende a ponerse a la defensiva. Y al final, acabas pidiendo perdón tú a la persona que ha hecho el comentario, porque llamándola racista la has ofendido. Cuando en realidad no le has llamado racista: simplemente le has comentado que lo que ha hecho o dicho es racista. Es muy habitual que si eres una persona negra y señalas racismos cotidianos, te encuentres con reacciones de ese tipo. Con personas que te van a contestar lo susceptible que eres y lo malo que es el victimismo, y además muchas veces no lo van a decir con el mismo cuidado con el que tú señalas el racismo intentando no ofender; sino que se les va a notar la indignación y la rabia, y van a ser veladamente (o no tan veladamente) agresivas en su respuesta.

Esas respuestas hieren, duelen y agotan. Agota encontrarse siempre, en cualquier círculo, con que las personas a las que les señalas actitudes negativas, en vez de corregirlas, construyen muros y se protegen detrás de un fuerte para seguir en sus trece en vez de ponerse en tu lugar. ¿Tan difícil es dejar de decir algo cuando otra persona nos ha dicho que le hiere, le ofende, le molesta y le duele? Si se tiene un mínimo de empatía, no. Con un mínimo de ganas de entender a la otra persona, uno se disculpa, toma conciencia e intenta no repetir el error. Habrá otros, sí; pero ese ya no. Duele que alguien que no vive en su piel la realidad que tú te encuentras día tras día no entienda que puede haber dicho algo ofensivo, y que, además, se permita decir que exageras y que basta ya. ¿Vale la pena exponerse a este desgaste en el seno de tu pareja o de tu familia?

Y, por otro lado, ¿por qué deberíamos dejar de decir lo que pensamos? Nos hemos callado y hemos agachado la cabeza mucho tiempo. Hemos aguantado bromas de todo tipo y comentarios de mal gusto sin decir nada nunca. Nos hemos callado al escuchar comentarios humillantes. Y, ahora que por fin nos enfrentamos a ello, para que reflexionen, a quienes sueltan esos comentarios, ¿nos tenemos que callar? ¿Por qué tendría que callarme? ¿Para no incomodar a quien habitualmente me incomoda? Muchas veces pienso que las personas que reaccionan tan a la defensiva son personas que no están acostumbradas a que les llamen la atención sobre sus comentarios ofensivos. Pero ¿sabes qué? Como mujer negra que soy, no es mi problema. Igual que yo he aprendido a gestionar la incomodidad que me genera oír esos comentarios, me parece interesante que las personas de mi entorno aprendan a gestionar la incomodidad que les produce a ellas que les señalen sus «racistadas». Sé que mi último comentario puede levantar ampollas, pero creo que hay que decir las cosas, y a veces hay que decirlas un poquito a la brava, porque siento que, como dice el dicho, «si escuece, cura».

Dicho esto, tampoco puedo afirmar que tener una pareja de tu mismo color sea la panacea. Tiene algunas desventajas, claro, pero también muchas ventajas, como, por ejemplo, que no te encuentras con la incomprensión de la que he hablado antes. Cuando estás con alguien que es como tú, que tiene las mismas experiencias en cuanto a la discriminación racial que tienes tú porque está en el mismo lado de la acera, hay cosas que no se tienen que explicar y discusiones que te ahorras. No podrás evitar otras discusiones, pero las que genera la cuestión racial o identitaria no van a estar... o es menos probable que estén. Y, créeme, es un temazo que te ahorras.

Lo explica muy bien Ali Wong, actriz, monologuista y escritora estadounidense de ascendencia asiática. En su monólogo «Baby Cobra», Wong dice esto sobre las parejas no mixtas:[22] «Pero creo que para el matrimonio es mejor estar con alguien de tu propia raza. La ventaja es que podéis ir a casa y ser racistas juntos. Puedes decir lo que quieras, no tienes que explicar gilipolleces. Mi marido es mitad filipino, mitad japonés. Yo soy mitad china, mitad vietnamita. Y nos pasamos el cien por cien del tiempo cagándonos en los coreanos... Increíble. Así es como se construye el amor». Posiblemente, si eres una persona blanca, lo que acabas de leer te escandalice, y más cuando aquí no tienes el contexto en el que lo dice Ali Wong. Yo me reí de lo más, porque me sentí muy identificada, sobre todo por el hecho de no tener que explicar determina-

22. Puedes ver parte del monólogo de Ali Wong en Youtube desde este enlace: <http://bit.ly/aliwong>. Si tienes Netflix, podrás disfrutar del monólogo completo.

das cosas (a eso se refiere ella con no tener que explicar gilipolleces).

Aun así, estar en una pareja mixta no es el infierno, y si tu pareja es blanca no es el demonio. En muchos casos, puede que esa persona se tenga por muy deconstruida, o piense lo que piensa mucha gente: «Lo Del Racismo (#LoDelRacismo) está superado». Tu pareja, estando a tu lado, conviviendo contigo, se va a exponer indirectamente a tus circunstancias, a los comentarios que te hacen, a las miradas. Puede que él también se convierta en el foco de comentarios y actitudes racistas. Recuerdo la vez que el padre de mis hijas y yo íbamos de la mano por la calle y una señora mayor (bastante mayor) se nos quedó mirando como con asco. De hecho, se paró, mientras pasábamos por su lado, y espetó: «¡Será que no hay españolas!». Cuando tu pareja, que creía que Lo Del Racismo ya estaba superado, empieza a verse en situaciones de ese tipo y se da cuenta de que todavía queda mucho por hacer, puede que te des cuenta que tienes al lado a una persona aliada que señala exactamente igual que tú, o a veces incluso con más fervor, todas estas situaciones.

De hecho creo que eso es lo deseable si estás en una pareja mixta; sobre todo si, en algún momento, te planteas formar una familia. Tu pareja tiene que ser tu aliada y tiene que estar dispuesta a dejarse señalar las conductas o comentarios discriminatorios y a eliminarlos. Tiene que estar dispuesta a repensarse, a desaprender y darte apoyo en esos momentos-no-tan-bonitos por los que a veces pasamos. Es la persona con la que compartes tu espacio, tu vida, tu cuerpo. Tiene que estar de tu lado en esto. Porque, para mí, esto también forma parte del amor que siente esa persona por ti. Si tengo que estar con alguien, quiero tener a mi lado a una persona que me apoye y me respalde en estas cuestiones, sobre todo cuando yo flaqueo, me desespero, lloro, o me desgasto. Porque si no puedo contar con ella para esto, entonces no me «sirve». Si solo puedo recurrir a mis amigos y amigas negras para encontrar alivio a esa angustia, esa pareja no será mi pareja. Eso sí lo tengo claro.

Esto me recuerda a la ocasión en la que a uno de mis amigos negros le hicieron un comentario con segundas, que era una racistada encubierta. Me telefoneó y me dijo «Te llamo a ti para contarte esto porque sé que me vas a entender». Si le explico algo a mi pareja sobre un comentario que me han hecho para burlarse de mí o incomodarme y le va a quitar hierro o lo va a justificar, o me va a culpar a mí por ser TAN susceptible, mejor plegamos velas y hasta luego, Maricarmen.

Pero bueno, solo es mi opinión, y no es más relevante que la de aquellas personas negras que no consideren fundamental que su pareja las respalde en situaciones de discriminación. Mi pareja tiene que estar conmigo a las duras y a las maduras. Y el racismo es una de las duras... y muy duras.

Los cánones

Los Cánones De Belleza Socialmente Aceptados (los C.D.B.S.A., que se note que me encantan las siglas) nos joden la vida, amiga. Permíteme que sea así de vulgar por un momento, pero es la verdad verdadera. O por lo menos así lo sentí yo durante muchísimo tiempo. Lo viví así desde mucho tiempo atrás. Desde aquel complejo de fea de mi adolescencia que me convirtió en la Amiga Enrollada.

No entraba en los Cánones de Belleza Socialmente Aceptados en España. De hecho, seamos francas, la mayoría de mujeres de España no encajan en los Cánones De Belleza Socialmente Aceptados. Pero, siendo negra, encajas todavía menos, esto es así. Siempre he sentido que existe una presión por que adoptemos un canon de belleza que no es el nuestro, de belleza caucásica.

Belleza blanca para mujeres negras.

Yo, igual que muchas mujeres de mi edad, estuve pasando por el aro de intentar adoptar ese canon alisándome el pelo; porque, claro, eso es lo que se vende: la belleza del pelo liso; o aclarándonos la piel, yo no llegué a hacerlo, como ya comenté, pero muchas mujeres de mi entorno sí (mi madre, sin ir más lejos). Nos creímos entonces a pies juntillas que con el pelo liso nos veríamos mejor. Estaríamos más guapas. El sistema hizo la oferta, y la compramos convencidas, además, de que era la mejor compra de todas. Afortunadamente llega un momento en que una (y hablo de mí misma) se da cuenta de que no puede pasar más por el aro.

Finalmente acepté que mi cabello no es liso y que, precisamente por eso, no tenía que estar sometiéndolo a procesos químicos para convertirlo en algo que no es, que ese canon de belleza no es el mío. Y ahí es cuando descubro que necesito identificar mi canon de belleza. Y necesito referentes. ¿Tenemos esos referentes? ¿No los tenemos? ¿Los tenemos que crear?

Ya te he explicado que, de niña, no tenía esos referentes porque en España se veían muy pocas personas negras en la calle, y menos en los medios de comunicación nacionales. Y todas las mujeres negras, afroamericanas, que aparecían en la televisión lucían melenas lisas, más o menos largas y más o menos decoloradas y/o teñidas.

Eso era lo que mostraba la televisión, esa era la imagen de una mujer negra de éxito, de referencia, por lo que a mí no se me pasaba por la cabeza que tuviese más opciones que alisarme. ¿Cómo iba a contemplar, remotamente siquiera, la posibilidad de no alisarme el pelo si todo lo que veía aquí y allá eran melenas lisas, onduladas o con aquel *Jheri Curl*? No, llevar el cabello natural no era posible, no se contemplaba porque no había mujeres en la escena pública que llevasen el cabello sin transformar químicamente.

Con el paso de los años y con la (supuesta) madurez, he entendido e integrado que soy negra, tengo el pelo afro, y que puedo verme bella sin tener que ajustarme al canon de otras porque, aparte de que a nivel de salud es un canon que perjudica no solo a mi cabello, sino a todo mi organismo, es posible que me vea peor con el cabello alisado que luciendo mi color natural de piel y mi cabello afro, rizado, *kinky*..., versátil. Y así es.

Creo que las mujeres negras llegamos ya hace algunos años a un punto en el que decidimos que teníamos que empezar a crear nuestros propios referentes y nuestra propia comunidad de mujeres negras, bellas, inteligentes, con iniciativa... y con el cabello natural. Siempre creí que era necesario que existieran nuestros propios referentes porque, desafortunadamente, no podía identificarme con ninguna mujer negra de la esfera pública.

Por suerte la escena española ha ido cambiando y cada vez contamos con que se visibilizan más referentes de mujeres negras españolas que lucen su cabello natural en infinidad de ámbitos: actrices, cantantes, ilustradoras, periodistas, profesoras de universidad y doctorandas, bailaoras, antropólogas, diseñadoras gráficas o de moda, maquilladoras, empresarias, médicas... Todas ellas son mujeres negras que lucen su cabello natural, y que son profesionales en su ámbito.

También cada vez crece más el número de blogueras y youtubers negras que tienen su rinconcito en la red y que ofrecen información sobre el cuidado del cabello afro (de diferentes texturas) o sobre maquillaje y los productos que les sientan bien, y que comparten su sabiduría. No podemos obviar que en España estamos llegando a un momento en el que hay toda una generación de chicas adolescentes que empiezan a querer mirarse en otras mujeres negras, con esa misma necesidad de referentes que yo tuve.

Esas adolescentes necesitan saber que hay mujeres negras profesionales en todos los ámbitos. Todas esas adolescentes necesitan también aprender a cuidar de su imagen pues, sean negras o mestizas, son españolas, han nacido o se han criado aquí desde muy pequeñas, y necesitan poder mirarse en alguien de quien obtener información, consejos y recursos de todo tipo. Y, todavía a día de hoy, siguen sin poder encontrar toda esa información en los medios especializados en belleza, igual que yo tampoco la encontraba.

Todas estas jóvenes de las que hablo van a querer información, van a entrar en Google y en Youtube y van a querer encontrar consejos sobre cómo cuidar su piel y su cabello, y sobre cómo maquillarse; sobre qué productos son adecuados para la piel negra, y qué productos no lo son.

Y claro, Dulceida o Patry Jordán pueden tener unos canales buenísimos, unos vídeos estupendos, y cientos de miles o millones de seguidoras..., pero a una chica negra sus consejos de cuidados del cabello y de la piel no le sirven. Por eso creo que el uso de Youtube se encuentra, desde hace un tiempo, en un momento de auge entre la comunidad de mujeres negras, como ya he dicho. Me parece maravilloso, y es genial formar parte de este movimiento.

Detrás nuestro vendrán nuevas generaciones, y estaría bien que lo tuvieran un poco más fácil de lo que lo tuvimos nosotras a la hora de encontrar recursos. Todos los debates que generamos, todos los tutoriales sobre peinados, moda y maquillaje que grabamos, toda esa conversación en torno a nuestra identidad que promovemos se convierten en una cantidad de información que proporciona mucha ayuda, aunque a veces no seamos conscientes de ello. Las mujeres negras tenemos que seguir abogando por encontrar nuestro propio canon de belleza; por conocer la versatilidad que tiene nuestro cabello (no me canso de repetirlo) sin tener que transformarlo con químicos; por crear un catálogo de recursos de peinados y estilo (con turbantes, diademas, pañuelos, con infinidad de abalorios y cuentas, con lo que sea).

En definitiva, se trata de crear una gran fuente de documentación para enriquecer las posibilidades que tenemos siendo negras y llevando el pelo natural; se trata de que nos convirtamos nosotras mismas en nuestros propios referentes, en nuestro propio espejo.

Se trata de que creemos nuestros propios medios y nuestros propios recursos, porque nadie mejor que nosotras mismas, como mujeres negras, sabemos qué necesitamos. Como dice Solange Knowles en una de las canciones de su álbum *A seat at the table*, «For Us by Us». Porque tenemos un sinfín de posibilidades que podemos explotar. Y tenemos que compartirlas para que otras mujeres que se están planteando dejar de seguir un canon de belleza impuesto, y con el que no encajan, puedan disponer de toda esta información que hemos obtenido de otras mujeres que lo hicieron antes que nosotras, o a partir de nuestra propia experiencia.

Por eso en este punto la figura de Lupita Nyong'o cobró mucha relevancia en su día para mí, por ser una mujer negra que triunfó y fue socialmente reconocida por grandes medios y por el público en general. Lupita se atrevió, además, a poner el foco en temas relacionados con la identidad y la belleza de las mujeres negras que hasta el momento habían sido silenciados, o no se les prestaba atención en determinados espacios.

Su discurso en la entrega de premios de la *Revista Essence* fue toda una muestra de ello.[23] Lupita Nyong'o se convertía así en el tipo de referente ideológico que necesitamos, que necesitan sobre todo las adolescentes. Igual pasó con Viola Davis en el capítulo de *How to get away with murder* en el que se desmaquilla y además se quita la peluca dejando al descubierto su pelo afro tipo 4C.[24] Lo mismo hizo Chimamanda Ngozi Adichie al publicar su novela *Americanah*,

23. El discurso de Lupita, en este enlace: <http://bit.ly/lupita-essence>.

24. En este enlace puedes ver la escena en cuestión: <http://bit.ly/violapeluca>.

cuya protagonista habla abiertamente sobre raza... y sobre pelo afro.

Por eso espero que, detrás de ellas, vengan muchísimas más Lupitas y Violas y Chimamandas que nos recuerden que somos bellas tal y como somos.

Maternidad

Mi hija mayor nació en enero de 2007. Había decidido ponerme extensiones de pelo natural en la recta final del embarazo para no tener que andar preocupándome demasiado sobre el pelo mientras la niña fuese muy bebé. Funcionó más o menos, porque con una bebé recién nacida no tenía el tiempo necesario para llevar el pelo planchado y arreglado, así que siempre lo llevaba recogido con una pinza.

Ser madre trajo muchas otras cuestiones a escena. Cuestiones relacionadas no solo con la identidad de mi hija y de cómo podía contribuir yo a ella, sino relacionadas con mi propia identidad, que empecé a trabajar a partir del cabello. Ser madre negra en España, de niñas mestizas, también da para muchas anécdotas sobre cómo te perciben los demás. Cuando ya había nacido mi segunda hija y las llevaba conmigo por la calle, en más de una ocasión personas completamente desconocidas las miraban, les tocaban el pelo y luego me preguntaban:

—¿Las cuidas?

—Claro que las cuido. —Sonrisa—. Soy su madre.

La percepción era diferente cuando, de muy pequeñas, iban con su padre. Entonces la pregunta cambiaba.

Cualquier extraño:

—¿Con qué edad las adoptasteis?

Su padre:

—Son biológicas. Su madre, mi mujer, es negra.

Siempre me llamó la atención eso. Si las veían conmigo, no podía ser su madre. Yo tenía que ser la *nanny*, la canguro. Si las veían con su padre, tenían que ser adoptadas. De nuevo la cosa de que, como son negras, tienen que ser De Fuera.

La forma de criar a nuestras hijas, que evidentemente fue una elección de dos, padre y madre, también suscitó comentarios curiosos. Recuerdo la vez que, cuando mi hija mayor tenía apenas cuatro meses y le daba el pecho, una mujer se me acercó y me preguntó si todavía tomaba teta. Sonreí y dije que sí. La señora me dijo que eso de que yo siguiera teniendo leche «era cosa de la raza». Volví a sonreír y le dije que no tenía nada que ver con eso, pero ella insistió en que sí, y lo dejé estar. Me formé como asesora en lactancia materna, así que te puedo asegurar que el hecho de seguir teniendo leche más allá de los cuatro meses del bebé no tiene nada que ver con la raza. Hay producción de leche mientras haya un bebé que se alimente de ella. Chimpón. Y, de paso y aunque no venga a cuento, por favor, no te creas todas esas milongas que va soltando la gente sobre la lactancia materna, como que, por ejemplo, de un susto, se te va a cortar la leche, y cosas por el estilo.

También recuerdo la vez en la que, porteando a mi hija menor en la espalda, una chica de mi edad me preguntó si no me pesaba llevarla así. Le contesté que no, que era como llevar una mochila muy pegadita; ella sonrió y me dijo:

—Claro, además vosotras estáis acostumbradas.

Ese «vosotras» también es muy común cuando alguien te toma como representante de todo un colectivo. Y no. Yo, Desirée, como persona individual, tomo mis propias decisiones, tengo determinadas convicciones, creencias y principios. Puedo coincidir en determinados puntos con algunas mujeres negras, con otras mujeres negras coincido en otros asuntos, y hay hermanas con las que no voy a coincidir en absolutamente nada, y eso está bien. Porque, no me canso de repetir, la comunidad afrodescendiente es heterogénea y diversa. Como todas las comunidades. Pero cuando se trata de «El Otro» o de «La Otra», de quien es diferente sin más, se tiende a crear una masa uniforme que lo estandariza todo. Y, repito, no. Porque habrá mujeres negras en España que habrán porteado, y habrán mujeres negras en España que no (es que, de tan obvio, hasta me parece absurdo decirlo), y se trata de elecciones personales; no de que tú hayas visto a mujeres africanas porteando a sus bebés en la espalda en Discovery Channel o en National Geographic.

Otra muy buena fue la vez que una profesora de mi hija menor que estaba a punto de dar a luz me dijo, al saber que yo había parido en casa, que «nosotras» estábamos más acostumbradas al dolor. Me quedé sin palabras. Y preocupada, porque me lo decía una persona que se dedicaba a la docencia en un centro de educación primaria. Y aquella vez que fui a la oficina del banco con mi hija menor en el fular portabebés (en aquella ocasión la llevaba delante porque era muy pequeña) y la asesora que me atendió me dijo que tenía un niño muy bonito. Sonreí y le dije que era una niña. Y ella respondió:

—Es que Aquí les ponemos pendientes.

A lo que, sonriendo, le pregunté:

—¿Aquí? ¿En esta oficina?

Se sonrojó. Y no me daba la gana de explicarle que mi hija no llevaba pendientes porque había nacido en casa y las comadronas que atienden partos domiciliarios no ponen pendientes a los bebés; no era asunto suyo.

Todas estas anécdotas dan cuenta de las ideas preconcebidas que tienen muchas personas sobre la cultura negra o la cultura africana. Y, claro, volvemos a lo de siempre: no les da por pensar que mi cultura pueda ser la misma que la suya porque he nacido y crecido Aquí.

La maternidad también ha despertado otros miedos, y sobre todo la certeza de que a mis hijas les va a tocar curtirse para enfrentarse a las personas que pretendan infravalorarlas por cualquier motivo, pero sobre todo por la naturaleza de su pelo o por el color de su piel. Recuerdo que, cuando mi hija mayor entró en el colegio, con tres años, y llegaba a casa diciéndome que un grupito de su clase no la había dejado jugar, tenía que hacer el esfuerzo de pensar que no era por su color de piel. Pero la duda siempre quedaba ahí.

Evidentemente, jamás le dije a mi hija que eso le pasaba por ser negra, para empezar, porque no podía saberlo con certeza, así que intentaba darle otras herramientas para que se sobrepusiera a ello. No he sido nunca de marcarles la diferencia negativamente a mis hijas, al contrario de lo que algunas personas piensan. Porque hay quien cree que, por ser activista, estoy constantemente adoctrinando a mis hijas e inoculando en ellas el «Claro, esto te pasa porque eres negra».

He remarcado la diferencia para darle un valor positivo, y solo cuando ha surgido en el contexto. Por ejemplo, en cuarto curso de primaria, mi hija mayor tenía que hacer una exposición en la que debía desarrollar y explicar un acontecimiento histórico. En ese caso le sugerí que podía hablar del pelo afro a lo largo de la historia, mencionando hechos históricos relacionados: la colonización y la esclavitud, el movimiento por la lucha de los derechos civiles, etcétera. En ese momento le expliqué a mi hija que ella, como afrodescendiente, podía aportar un punto de vista a sus compañeros y compañeras que solo ella podía darles; le hizo ilusión, aceptó y lo llevó a cabo. Sacó un sobresaliente, el agradecimiento de sus compañeritos, que aprendieron muchas cosas, y un beso de su profesora, que se emocionó con la exposición.

En el resto de ocasiones, lo que trato de hacer es reforzar y aumentar la autoestima de mis hijas[25] para que tengan herramientas y recursos que les permitan hacer frente a las situaciones complicadas en las que se van a ver, porque se van a ver en ellas por más que yo intente ahorrárselas, y es algo que les digo a menudo. Es una conversación que, como mujer negra y, además, madre de niñas mestizas, tengo que tener con ellas. Tengo que hablarles sobre el racismo. Tengo que decirles que cualquier día alguien puede llamarlas «negra» como si fuese un insulto. Que cualquier día alguien las insultará por sus orígenes o por el color de su piel. Eso va a pasar. Eso llegará inevitablemente. Y no estoy siendo pesimista. Estoy siendo realista. La sociedad no ha avanzado tanto para que ellas salgan a la calle y nadie les diga que no son De Aquí.

Y tienen que saber que eso va a pasar. No sé cuándo pasará. Solo sé que pasará. Porque a mí me ha pasado. Y a ellas también les pasará. Pero en la medida en que ellas sepan que ese momento llegará, y en tanto que yo las prepare para ello, podrán enfrentarlo. Hay quien me dice que no le dé importancia, que les diga que, si las insultan, se lo tomen a risa y tal, pero, bueno, yo discrepo. Tengo que darle importancia. Y la importancia que le doy es precisamente esa: ponerlo en su conocimiento. Que sepan que en cualquier momento pueden pisar la calle y alguien, aparecido de la nada, las puede insultar solo por ser como son. Darle importancia me ayuda a prepararlas. Después lo gestionarán como sepan, quieran o puedan. Pero si yo no le doy importancia, si no les explico que eso les

25. Desde este enlace puedes ver el vídeo «Cómo aumentar la autoestima de nuestros hijos afrodescendientes», que publiqué en mi canal de Youtube: <http://bit.ly/autoestima-peques>.

puede pasar, ¿qué harán cuando las insulten? ¿Paralizarse como hacía yo de niña? No es eso lo que quiero para ellas. Quiero que sean capaces de reaccionar. Que reaccionen como consideren. Y, si dentro de esas reacciones entra la risa, estupendo. Pero dentro de esas reacciones también caben la ira y el enfado, por ejemplo, y no voy a impedirles que las repriman.

Si les doy herramientas podrán enfrentarse, si quieren, a quien pretenda insultarlas; y, para que puedan hacerlo, debo procurar que tengan un nivel de autoestima tal que entiendan que el problema no lo tienen ellas, sino quien pretende hacerlas de menos. Entre las formas que uso para aumentar la autoestima de mis hijas, una consiste en mostrarles referentes (luego volveremos a retomar esto). Los referentes son fundamentales, no me cansaré de decirlo.

Hay una parte de su identidad (la afrodescendiente) que solo la pueden descubrir e integrar desde casa, y esa es mi labor. Es una labor de mucha responsabilidad, desde mi punto de vista. Pero está claro que lo más importante no es lo que les diga, sino lo que haga. En estos momentos la expresión «predicar con el ejemplo» toma más fuerza que nunca, ¿verdad? Yo creo que sí. Y que, precisamente por eso, para que ellas crezcan como mujeres seguras de sí mismas y orgullosas de su identidad, yo también tengo que estar orgullosa de quién soy, porque eso es lo que les voy a transmitir.

Transición o gran corte

Llegué a un punto en el que no sabía qué hacer con mi pelo. Puede parecer una preocupación muy trivial, pero te aseguro que no lo es. De hecho, muchas personas blancas que vienen a las charlas en las que explico la historia del pelo afro y su contexto actual se quedan sorprendidísimas porque no llegaban a imaginar que el pelo diese para tanto. Y sí, sí, da para mucho.

Estaba en un momento en el que debía tomar una decisión, pero no tenía claro cuál. Me sentía bastante cansada de todo lo que implicaba seguir alisándome el pelo. El dolor, las quemaduras, la toga, la plancha, el mantenimiento diario..., estaba aburrida. Pero ¿quería seguir alisándome el pelo o no quería? ¿O lo que quería era alisármelo sin ir a la peluquería y así ahorrarme ese gasto? Opté por la opción B y, por primera vez, se me pasó por la cabeza la idea descabellada, nunca mejor dicho, y absurda (así es como lo veo ahora) de alisarme el pelo en casa.

Sí, ya sé que hay muchas mujeres en el mundo que se alisan el pelo solas en su casa, pero para mí no era una buena idea. Insisto: hablo de mí, de lo que me va bien a mí. Líbreme el cielo de querer imponerle nada a nadie. No es eso de lo que se trata. Solo cuento mi opinión. No soy de caer en imposiciones, pero creo que, por lo peligrosos que son los productos de alisar y las lesiones que ya de por sí suelen ocasionar, más vale que todo el proceso lo haga una persona profesional.

Además, hay zonas de tu cabeza que tú misma no ves, y es más fácil que la aplicación de cualquier producto como los de alisar, que son altamente abrasivos y te pueden ocasionar quemaduras, los aplique una persona que no seas tú misma y que tenga una visión completa del área de trabajo, o sea, de toda tu cabeza. Dicho esto, cerremos el inciso y prosigamos.

Como te contaba, estaba tan hastiada que por primera vez me planteaba alisarme yo sola. Este planteamiento me llevó a internet. Seguro que en Estados Unidos o Inglaterra, mi referencia por aquel entonces (año 2010) para dar con mujeres negras en una situación similar a la mía, encontraría información que me sirviera.

Si hay que agradecerle algo a internet es que nos ha brindado el poder de decidir. Cuando yo era pequeña solo podía consumir lo que otros decidían por mí. En mi televisor solo había cuatro canales. Los dos de Televisión Española (La 1 y La 2) y los dos de la televisión autonómica (TV3 y Canal 33). Eso era todo lo que había y nada más. Internet ha supuesto varias cosas maravillosas, aunque hay que reconocer que también muchas menos maravillosas, pero ahora no nos centraremos en ellas. En internet puedes decidir qué contenido consumes, porque hay muchos medios de comunicación o profesionales volcando contenido en la red. Y al mismo tiempo tú puedes convertirte en productora de contenido. Si tienes algo que decir, puedes compartirlo con un público sin tener limitación de alcance.

Así que sabía que, si buscaba en internet, encontraría alguna chica (no se decía *blogger* ni *youtuber* por entonces) que explicase no solo cómo alisar el pelo en casa, sino cómo proporcionarle los cuidados adecuados. Empecé a buscar. Primero en blogs más que en Youtube. Todas las búsquedas las hice en inglés, porque ya iba con la idea de que en español no encontraría nada. Llegaba a todos esos blogs buscando cómo desrizar el pelo afro en casa, y en todos ellos, organizados maravillosamente por pestañas, siempre había una que me llamaba la atención: *Transition*.

Transition. ¿Qué diantres era eso? *Transition*. No importaba. Fuera lo que fuese, no hacía referencia directa a cuidar el pelo afro alisado, así que no me interesaba. No era eso lo que tenía que leer, así que intentaba obviarlo. Digo que intentaba obviarlo porque, sin querer, terminaba fijándome en él cada vez que lo veía en una nueva web que visitaba. Así que finalmente caí, sucumbí y entré para ver de qué se trataba.

Transition. La transición, referida al pelo afro, es el proceso por el que se deja de desrizar el pelo y se vuelve a llevar natural, tal como nace. Me quedé parada un segundo. ¿Llevar el pelo natural? Desde la primera vez que mi madre me llevó a aquella peluquería donde me quemaron la cabeza, casi veinte años atrás, nunca había vuelto a plantearme llevar el pelo natural. Pero ahora que veía esa información, empezaba a contemplar la posibilidad. Así que toda esa búsqueda para aprender a cuidar de mi cabello alisado en casa empezó a transformarse. ¿Y si me dejaba el pelo natural? ¿Y si dejaba de desrizarme? ¿Podía hacerlo?

La verdad es que estaba cansada de alisarme. Estaba cansada de verme el pelo así: liso, sí, pero apagado, sin vida y siempre con la misma medida; estaba cansada de las largas sesiones de peluquería, del gasto semanal y mensual. Cansada de meterme en el mar o en la piscina solo hasta los hombros para conservar el peinado, de huir de la lluvia cuando me pillaba sin paraguas... Estaba muy cansada, y hasta aquel momento no me había parado a pensar cuánto.

Después de leer acerca de la transición, empecé a informarme más sobre el *hair journey* para volver a llevar el pelo natural (*go natural*), y descubrí el *big chop*, el gran corte. La transición suponía un cambio gradual: se trataba de dejar crecer el pelo, no volver a alisar las raíces, e ir cortando las puntas cada tanto. De esa manera, iba aumentando la longitud del pelo natural y se iba reduciendo la longitud del pelo procesado. Se recomienda hacerlo poco a poco, porque de esa manera, cuando cortas las últimas puntas de pelo alisado, ya puedes tener una melena afro más o menos larga. Así el cambio no es tan drástico. Por contraposición, el *big chop* era la vía rápida y directa: cortar de una sola vez todo el pelo procesado y dejar directamente solo el pelo natural, en un afro muy cortito, conocido en el Mundo de los Rizos como TWA, *Tiny Weenie Afro*.

Poco a poco me iba animando. La idea de verme de nuevo con mi pelo natural me seducía y me daba miedo a partes iguales, aunque a veces ganaba el miedo. Un miedo aterrador. Si no eres una mujer negra que se ha planteado volver a llevar el pelo natural, tal vez esto te parezca muy extraño, pero necesito que entiendas a qué nos enfrentamos muchas mujeres negras cuando empezamos a llevar nuestro pelo natural.

Como mujeres negras, muchas de nosotras hemos pasado años transformando nuestro cabello por pura asimilación. ¿Que qué es la asimilación? La asimilación es un proceso por el que un grupo étnico o cultural minoritario se integra en la sociedad de otro grupo étnico mayoritario.

A causa de la asimilación cultural, los individuos de la cultura minoritaria adoptan elementos de la cultura mayoritaria para sobreponerse a condiciones que les hacen más dura la existencia si no los adoptan.

Así que por pura asimilación, como mujer negra, te alisas el pelo porque eso (crees, porque te lo venden así) te facilita las cosas. Además, todo en la sociedad te invita a que te lo alises:

las pocas mujeres negras que aparecen en televisión, y que son tus referentes, se alisan, gran parte de las mujeres negras de tu familia o de tu entorno cercano se alisa... ¿Por qué no vas a hacerlo tú?

Todos los mensajes que recibes sobre el pelo afro natural son negativos: que es seco, que es duro, que cuesta peinarlo, que es informal, que parece desaseado y poco profesional... Que es malo. ¿Qué haces entonces? Te alisas. Las mujeres negras nos hemos alisado y nos alisamos el cabello por el estigma y la opresión a la que parte de nuestra identidad, en este caso nuestro pelo, está sometida. El pelo de las personas negras siempre ha operado como un instrumento de opresión, en especial para con las mujeres. Durante siglos se ha intentado que las mujeres negras escondieran o modificaran la naturaleza de su cabello y eso se ha intentado de diferentes formas.

Después de abolida la esclavitud en Estados Unidos, el gobernador de Luisiana, Esteban Rodríguez Miró (sí, español; catalán para más señas) promulgó las Leyes Tignon. Era alrededor de 1786. El *tignon* era una pieza de tela para adornar el cabello usada por las mujeres negras criollas procedentes de Martinica, Guadalupe y Dominica de la zona de Luisiana. Por lo visto, las mujeres negras llamaban demasiado la atención, básicamente la atención de los hombres blancos, con sus peinados, por lo que suponían una amenaza para las mujeres blancas. Así que el gobierno de Luisiana se sacó de la manga las leyes Tignon para regular la vestimenta y la apariencia de las personas negras. De esa forma, las leyes Tignon se usaron para desanimar a los hombres a ir tras las mujeres negras y también para que se les quitaran las ganas de comprometerse con ellas, ya que estas leyes obligaban a las mujeres negras a cubrirse el cabello en lugares públicos.

El remedio, sin embargo, fue peor que la enfermedad, y

las mujeres negras desplegaron toda su creatividad para sobreponerse a esa imposición. «Ah, ¿que tenemos que cubrir nuestro cabello en público? Muy bien. Nos lo cubriremos, pero con estilo», así que empezaron a usar telas llamativas de colores vivos, a adornar los *tignon* con cuentas, abalorios y a anudarlos alrededor de su cabeza de formas originales y elaboradas. Ahí, simplificando mucho, empezó a extenderse el uso de los turbantes que, a día de hoy, muchas mujeres negras lucimos, otorgándoles otro significado, como muestra de la cultura negra y en homenaje a nuestras ancestras.

En el siglo XIX, como ya he contado, el científico Garrett Augustus Morgan crea el primer producto para alisar químicamente el pelo afro. Los ingredientes eran lejía (sí, lejía), patata y harina de trigo. Poco después, Madame C.J. Walker, una empresaria negra, creaba toda una línea de productos para alisar y cuidar del pelo afro. Y hasta el día de hoy en muchos países, aunque haya una gran cantidad de personas negras, se tiende a ejercer esa presión social que empuja a las mujeres negras a alisarse el pelo.

Por eso, y retomando lo que te estaba explicando antes, cuando como mujer negra te planteas llevar de nuevo tu pelo natural, te surgen un millón de dudas y te encuentras en un momento realmente crítico a nivel identitario. La mayoría de nosotras, a mí me pasó, llevamos tanto tiempo alisando nuestro cabello que ni siquiera recordamos cuál era su textura original. No reconoces tu pelo si no es por fotos de cuando eras niña o adolescente, dependiendo de la edad que tuvieras la primera vez que te llevaron a alisar.

Aparte de eso, el cambio a nivel de imagen es realmente importante. Volver a lucir el pelo natural implica dejar de llevar el pelo lacio (más o menos lacio) y hacia abajo, y sustituirlo por un pelo encaracolado, seco y, la mayoría de veces y según el tipo de rizo, sin forma. Eso es chocante, muy chocante. Llevar el pelo natural también te enfrenta a cómo se va a percibir el cambio en tu entorno. Es un cambio importante de imagen, pero va mucho más allá de la imagen. También concierne a la salud en general por la alta cantidad de sustancias nocivas que nos metemos en el cuerpo, en el torrente sanguíneo, cada vez que nos alisamos.

Empecé a informarme un poco más sobre la composición de los productos de alisado, vi *Good Hair*, un documental de Chris Rock sobre la industria del cabello alisado y las extensiones, que te recomiendo fervientemente, y me quedó claro que no me alisaba más. Al fin la decisión estaba tomada. Pero, un inciso: ¿lo hacía por moda? ¿Están de moda la transición y el *Going Natural*? Durante una temporada estuvieron circulando por la red bastantes artículos sobre el tema. «Vuelve el afro», decían.

Durante este tiempo, en el anuncio del entonces nuevo teléfono HTC One, salía una chica con el afro natural en un vagón de tren; también diferentes publicaciones relacionadas con la moda estuvieron haciendo hincapié en que el pelo afro estaba de moda otra vez. A raíz de un artículo publicado en el suplemento de moda del periódico *El País* (y cuyo enlace no puedo proporcionarte porque la publicación dejó de estar disponible en línea) sobre si el pelo afro estaba de moda, se creó el mismo debate en un grupo de Facebook, y yo dejé mi opinión.

Sí, el pelo afro está de moda. Es innegable. Cada vez encontramos a más personajes públicos, básicamente mujeres, luciendo su afro. A quien más se nombraba en aquel momento era a Solange Knowles, supongo que en contraposición con su hermana Beyoncé, que luce una imagen totalmente diferente; pero también podemos nombrar a Chimamanda Ngozi

Adichie, la escritora nigeriana, o a Viola Davis, la protagonista de la serie *How to get away with murder*. Solange se convirtió entonces en una de las mujeres cuya imagen se usaba más cuando los medios hablan de la vuelta del afro. Aún se hace. Además, se está convirtiendo en una artista activista muy reivindicativa, como demostró con la publicación de su álbum *A seat at the table*. Aprovecho y te recomiendo que lo escuches si no lo has hecho aún.

Volvamos al tema, que me desvío. Sí, tengo que reconocerlo: el pelo afro está de moda. Me puede gustar más o me puede gustar menos; pero, ahora, el pelo afro vuelve a estar de moda, otra vez, porque no es nuevo. Pero está de moda para los medios de comunicación *mainstream*. Nada más. Así que una cosa es lo que digan las modas y los medios, y otra cosa es que yo, como mujer con el pelo afro, tome conciencia de cómo es mi cabello y decida volver a llevarlo natural. Y esa decisión llega independientemente de que el pelo afro esté de moda o no lo esté.

¿Por qué decidí volver a llevar mi cabello natural? Por un tema de salud de mi pelo, por dejar de maltratarlo con tanta química innecesaria, y por una cuestión de liberación, como ya he dicho en varias ocasiones; por dejar de estar subyugada a un canon de belleza que no me representa, y que finalmente me di cuenta de que no tenía por qué seguir. Estos fueron mis motivos para volver a llevar mi pelo natural. ¿Que el pelo afro está de moda? Perfecto; a mí no me parece mal que lo esté.

Eso sí: también hay que decir que, independientemente de esta moda, para la mayoría de mujeres de pelo afro no es una moda. Es algo que va más allá. Es un tema de toma de conciencia. Es sentirse liberada, reconocerse a una misma, revalorarse, sentirse que una acepta por fin sus características y sus rasgos identitarios, y decide volver a lucir su cabello natural. Como ya sabes, hay países en los que llevar el pelo afro está muy mal visto. Llevar o no llevar el pelo liso condiciona el acceso a determinados puestos de trabajo... o dejar de tener trabajo, porque pueden despedirte.

Todavía quedan lugares en los que el pelo rizado implica que te increpen por la calle, o que tu familia no te apoye; o que te expulsen de tu centro educativo... o entrar en una peluquería y no ser atendida porque «el pelo afro es malo» o no poder acceder a un trabajo porque el pelo afro es poco profesional y tener que ceder a la presión de alisártelo. Porque, si tengo que elegir entre abrasarme el pelo o tener dinero para vivir, seguramente elegiré el trabajo, y mi pelo, pues mira, alisado igual tampoco se ve tan mal si gracias a él puedo pagar mis facturas. Aún así, en esos países, cada vez hay más mujeres que deciden lucir su cabello afro, rizado, de una manera natural; y también hay mujeres activistas que apoyan y luchan y se rebelan contra un sistema que pretende que neguemos nuestra identidad.

Cuando hablamos de estas mujeres, que toman una decisión tan trascendente, tan transgresora y tan valiente, dejamos de hablar de moda, y concluimos que cada una de nosotras estamos de moda siempre... como protagonistas de nuestras vidas. Porque hablamos de algo que empodera a la mujer, de un proceso muy profundo, muy delicado y que saca a relucir muchos sentimientos que nos conectan con nuestra propia identidad, con nuestras raíces, con nuestra historia (la particular y familiar, pero también con la colectiva y la comunitaria). Entonces ya no estamos hablando de estética o imagen sin más. Estamos hablando de algo que nos toca muy adentro.

Cuando decidí que la transición no era para mí, no me lo pensé mucho más. Me planté en la peluquería y le dije a mi peluquera que me cortase el pelo. «¿Las puntas?», preguntó. «No. Todo el alisado», le dije. Me preguntó si estaba segura, y respondí que sí (no lo estaba, pero quería aprovechar la impulsividad del momento), y volví a casa con un afro de un centímetro de largo como mucho. Verme con el cabello natural, y además tan corto, con el miedo que me daba salir de la zona segura que era mi melenita, fue muy chocante. No le dije a nadie que iba a cortarme el pelo, así que la sorpresa en mi círculo fue enorme. Pero ya estaba hecho. Me sentía, sobre todo al principio, muy insegura; pero me podía más el hartazgo de llevar el pelo alisado y maltratado que pasar varios meses acostumbrándome a mi nuevo yo.

Después de aquello, y motivada por mi comadre Gisela, decidí crear mi blog, *Diario de la Negra Flor*. En principio nació como un espacio personal en el que registrar todo lo que aprendía sobre mi pelo, el pelo de mis hijas y los productos que utilizaba. Con el tiempo el blog fue evolucionando hacia lo que es hoy en día. Te lo cuento más adelante.

Entonces fue cuando creé en mi blog la sección «Historias de las lectoras»,[26] porque me apetecía poner a disposición del público los relatos de mujeres anónimas que volvían a llevar su pelo afro natural, para que cualquier persona que las leyera pudiera sentirse identificada con una historia verdadera, de una mujer de a pie. Podrás ver que casi todas las historias de las mujeres que han compartido el relato del reencuentro con su cabello natural hablan de liberación, de quitarse un peso de encima, de reconocerse, de sentirse más ellas mismas. Por tanto no podemos quedarnos en una simple moda, porque hablamos de algo mucho más importante, algo mucho más grande que está removiendo mucho.

¿Que los medios generalistas y los blogs de consejos y las secciones de belleza de las revistas más punteras, que no saben ni papa del tema porque no tienen contratadas a mujeres negras para que hablen de ello, seguramente, quieren quedarse

26. Historias de las lectoras en mi blog: <http://bit.ly/historias-lectoras>.

en la moda? Perfecto, que se queden con que es una moda. No entremos a discutir si el pelo afro está de moda o no, porque indudablemente lo está. Entonces no nos quememos.

Yo he tomado la decisión de no entrar a debatir en esos foros ni en esas webs. Lo hice un tiempo y no fue nada sano ni constructivo para mí. Ya no dejo comentarios, porque me desgastaba mucho, y no estoy para derrochar energía. Lo que yo he decidido es que hablar de si el pelo afro está de moda no es mi debate. No es ni siquiera una lucha para mí. He decidido centrarme en las mujeres con pelo rizado o afro que, como yo, han decidido en un momento determinado de su vida volver a lucir su pelo natural. Eso es lo que a mí me interesa. Ese proceso de cambio y aceptación personal, de crisis, de resurgimiento. Es lo que me interesa. Ayudar y acompañar a esas mujeres. Igual que intento ayudar y acompañar a un montón de madres que se encuentran de repente con una melena afro, seca y *kinky* de un hijo o una hija, y quieren cuidar de ese pelo. Esa es la parte del pelo afro que me interesa. No voy a perder el tiempo entrando en estos debates, porque no es mi asunto ni es lo que a mí me interesa. Y como lo que me interesa es otra cosa, voy a dejar que hablen de moda. Pero lo que sí que voy a hacer es seguir adelante con todas esas mujeres en nuestra carrera de fondo particular, una vez que, como ya he dicho, hemos conseguido salir de Matrix y hemos entendido que los cánones de belleza que nos representan son otros.

Activismo

Conforme el blog crecía, fui delimitando los temas. Las entradas sobre mis actividades familiares del fin de semana desaparecían, igual que lo hacían los asuntos relacionados con la crianza de mis hijas y los *outfits*, y cada vez me centraba más en ofrecer contenido relacionado con la imagen personal de mujeres negras con el cabello natural. Así es como terminé por definir mi blog. Dentro de esos recursos empecé a incorporar mis reflexiones sobre la belleza y los cánones, sobre lo que implicaba llevar el cabello natural..., todo lo que se me pasaba por la cabeza y tenía que ver con mi imagen como mujer negra lo vertía en el blog y en el canal de Youtube.

Al mismo tiempo empecé a desmarcarme de la etiqueta que yo misma me había puesto como *beauty blogger*; mi temática era muy específica y, si bien estaba relacionada con la imagen personal de la mujer negra, mayoritariamente en España, pero también en otros países de habla española, sentía que lo que yo hacía era otra cosa. Así que cambié de etiqueta. Activismo estético.

Me he encontrado con mucha gente que considera que ser bloguera y publicar contenido relacionado con el pelo y con la piel es algo trivial, superficial y poco necesario, algo que en realidad no puede considerarse activismo. Yo mantengo que sí lo es.

Es activismo en el momento en el que ofrezco contenido para que las mujeres aprendan a cuidar de su cabello natural; y, si aprenden a cuidar de su cabello, van a ver que no era tan «malo» como les hicieron creer, como nos hicieron creer, y lo van a amar. Y para mí se convierte en algo realmente fundamental e importante amar mi cabello rizado cuando se me bombardea por todas partes para que reniegue de él. Se me hace necesario amar mi cabello, porque amando y respetando mi cabello seré capaz de transmitir ese amor a mis hijas, que también amarán su cabello (o eso espero).

Y se me hace necesario amar mi cabello porque este, al igual que el cuerpo, es política. Como mujeres negras que somos, somos territorios políticos. Hago activismo cada vez que salgo a la calle, porque lo llevo en la piel y en el pelo. Y en una sociedad en la que muchas veces se ama lo negro (la estética y la cultura negras y africanas), pero no se ama a las personas negras, se me hace importante amar mi cabello. Me empezaba a dar cuenta de que eso era lo que yo hacía. O lo que quería hacer: ayudar a las mujeres negras a amarse más, a sentirse mejor. Y también quería que las personas blancas de mi entorno entendieran que el pelo afro no es un estilo, que es parte de mi identidad, y que se me discrimina y se me oprime por tenerlo como lo tengo.

¿Por qué empecé a denominarlo activismo estético? Los comentarios que me llegaban, sobre todo vía correo electrónico, me llevaron hasta esa definición. Los mensajes que me escribían todas las mujeres que se dirigían a mí no eran tanto sobre lo bien que les había ido aquel producto que yo había recomendado, aquel potinguito que había publicado o ese peinado que había hecho. No. La mayoría de los comentarios de mujeres iban en la línea de cómo había ido cambiando su concepto sobre sí mismas desde que estaban aprendiendo a cuidar de su cabello. Ganaban en autoestima, en seguridad, en confianza..., ¡se empoderaban! Es más, algunas de ellas, como me pasó a mí misma, iban más allá y empezaban un trabajo sobre su identidad de lo más interesante.

Dado que mis consejos y reflexiones tenían ese efecto, lo que estaba haciendo era activismo. Viviendo en una sociedad tan (pretendidamente) blanca como la española, hablar de pelo afro también es hablar de identidad. Y eso era lo que pasaba: que muchas mujeres empezaban a trabajar su propia identidad a partir del cuidado del pelo afro. Eso va mucho más allá de la belleza. Eso es revolucionario. Eso es activismo. Trabajar el pelo afro como parte del movimiento *Go Natural* (el movimiento que promueve alejarse de los alisados químicos para recuperar el cabello afro en su textura original) nos ayuda a descolonizarnos el cuerpo. La esclavitud y la colonización terminaron solo en parte. Pero seguimos colonizadas y esclavizadas a nivel estético cuando, como ya he dicho, a las mujeres negras se nos imponen cánones de belleza blanca, cuando se nos sugiere que seremos más aceptadas y queridas cuanto más liso sea nuestro cabello y más clara sea nuestra piel. Seguimos sometidas, sobre todo las mujeres negras, a la esclavitud estética y al *apartheid* estético; el problema es que no somos conscientes de sus peligros.

La esclavitud estética sigue promoviendo la dualidad entre pelo bueno y pelo malo. No sé si me creerás, pero arrastramos esta movida desde hace siglos. En los tiempos en los que millones y millones de personas fueron arrancadas de sus tierras en África para ser hacinadas en barcos y llevadas a América, fue cuando empezaron los «experimentos» con el cabello. Como ya he contado, los esclavos y las esclavas empezaron a preparar mejunjes para cuidar de su cabello en un lugar en el que no contaban con las plantas y las hierbas que tenían en sus lugares de origen. Así, pues, había que ingeniárselas de otra manera.

El hecho de no disponer de todos esos recursos naturales hizo que empezaran a incorporar ingredientes más insanos a sus mejunjes, como el queroseno. Sí, queroseno, un derivado del petróleo. Y es por eso que, a día de hoy, puedes seguir encontrando productos para pelo afro que en su composición llevan petrolatos (*petrolatum*) o aceite mineral (*mineral oil*). Asimismo, empezaron a utilizar otros potingues para aclararse la piel. Los esclavos de piel más clara y cabello menos rizado se vendían a mayores precios en los mercados de esclavos. Y tener el cabello menos rizado y la piel más clara podía suponer servir en la casa del amo y tener unas condiciones de vida ligeramente mejores que viviendo en el campo. ¿Lo ves? Este fue uno de los motivos por los que empezó el *bleaching* (blanqueamiento de la piel) y el alisado del cabello. De esta manera, se ensalzaba la piel clara y se percibía la piel oscura como algo negativo. Y, salvo en casos puntuales, sigue siendo así. Esto, como te digo, conduce a que las mujeres usen procedimientos peligrosos para aclarar la piel para estar lo más cerca posible de los rasgos caucásicos bajo la premisa de que, cuanto más cerca de ese canon de belleza eurocéntrico estén, mejores serán sus condiciones de vida.

El aclarado de la piel es otro tema peliagudo. En 2014, la modelo keniata Vera Sidika, aparecía en *prime time*, en un programa de televisión admitiendo públicamente que se había aclarado la piel: «Lo anunció hace dos semanas en horario de máxima audiencia y los estupefactos televidentes enmudecieron. Vera Sidika, la modelo keniata que hasta hace nada encarnaba el ideal nacional de belleza, contó en televisión el proceso de blanqueamiento de piel al que se había sometido unos días antes en Londres. Lo explicó de forma jactanciosa y en el estilo marrullero que la ha hecho famosa en Kenia y en los países vecinos. "Me sorprende la hipocresía con la que los hombres fingen que les gustan las mujeres negras cuando en realidad siempre van a por las blancas", afirmó. La "Kim Kardashian" del continente africano, como ella misma se define, no escatimó en detalles en la entrevista concedida al presentador Larry Madowo, de la televisión pública NTV. Reveló que, tras abonar los ciento veinticinco mil euros que cuesta el tratamiento, consiguió rebajar tres tonos de piel. Esa misma noche las redes sociales estallaron y al día siguiente la prensa del país la calificó de "irresponsable" y de "dudoso ejemplo". El mensaje que encerraba su decisión es, según muchas voces, manifiestamente racista».[27]

Vaya por delante, antes de que me lo digas, que Vera Sidika es mayor de edad, o lo parecía en aquel momento, y puede hacer con su cuerpo lo que quiera, igual que cualquier otra persona. El tema es que, además de ser mayor de edad, esta mujer es un referente, un personaje público, ¡una modelo, carajo! (y perdón por la expresión, pero es que me soliviantó). Y entonces, siendo como es una *celebrity* africana, aquí hay un problema con los múltiples mensajes (a cual más peligroso) que lanzó esta mujer después de su blanqueamiento.

Someterse a un proceso de blanqueamiento es una brutalidad. Es una agresión hacia la piel y hacia la propia salud de niveles altísimos. En *La Vanguardia* dijeron sobre las cremas blanqueadoras: «Este producto está hecho de arbutina, hidroquinona, ácido kójico, ácido azelaico y hasta en algunos casos mercurio».

Vamos a ver. La arbutina es un derivado de la hidroquinona y su función es inhibir la producción de melanina de la propia

27. No puedo ponerte el enlace al suplemento de moda de *El País*, que es de donde cito este texto, puesto que ya no está disponible; pero puedes leer lo que publicó *La Vanguardia* aquí: <http://bit.ly/verasidika>.

piel, y debe usarse solo bajo prescripción médica. Vale. Hasta aquí puede parecer que la cosa no está mal. Pero me empiezo a preocupar cuando averiguo que hay países como Francia donde el uso de la arbutina está prohibido. Y si un país legisla la prohibición del uso de este producto es que muy bueno no debe de ser. La hidroquinona es un despigmentante que puede provocar graves problemas por su ingesta o por el contacto con los ojos. Bueno, se supone que no somos tan brutos. En España, no está prohibido su uso, pero sí está regulado, y no puede administrarse en concentraciones mayores al 2% en productos cosméticos. Si te interesa el tema, podrás leer más en el Real Decreto 1599/1997, de 17 de octubre de 1997, sobre productos cosméticos. No hay evidencia de que la hidroquinona cause cáncer; aunque, vamos, blanquearse la piel muy sano tampoco tiene que ser.

No voy a entrar a hablar del ácido kójico ni del ácido azelaico, porque entonces me voy del tema. Pero me preocupa mucho que estas cremas contengan también mercurio. ¡Mercurio! Y la exposición al mercurio, tanto a corto como a largo plazo, puede provocar problemas graves de salud. Es más, y esto es verdaderamente preocupante y necesito que lo sepas en el caso de que tú uses este tipo de productos: el uso reiterado de productos para blanquear la piel hace que esta se vuelva cada vez más fina. Lo que lleva a que en algunos países de África donde el *bleaching* está muy extendido los médicos y los cirujanos empiecen a tener verdaderos problemas cuando tienen que coser heridas en mujeres blanqueadas, porque su piel es tan fina que ya no permite ser suturada. ¿Te das cuenta de la gravedad del problema? Ya no es solo que tu piel sea más clara, es que tu piel pierde capas y pierde también capacidad de regenerarse y curarse, y no te pueden coser puntos quirúrgicos porque, de tan fina, la piel no retiene la sutura. Que se nos va la vida, amiga, se nos va la vida.

Y todo esto, ¿para qué? ¿Para gustar más a los hombres? Además de que es una postura rematadamente machista, ¿de qué niveles de autoestima y de qué prioridades estamos hablando para exponer la propia salud a riesgos innecesarios solo con fines... ¿sexuales? Se dijo de todo sobre la decisión de Vera Sidika. Desde cosas con las que coincido a verdaderas estupideces. Pero a mí me sigue preocupando un tema: la cantidad de adolescentes para las que Vera Sidika es un referente, un ejemplo a seguir. ¿Qué mensaje están recibiendo estas chicas? Pues varios, como he dicho antes, y muy nocivos. Estas niñas y adolescentes, si se encuentran en un momento de su adolescencia en el que dudan de su negritud, de la belleza del color de su piel, están recibiendo un mensaje que reafirma eso: «La piel negra es fea. Aclárate y gustarás más a los chicos». ¡Y con quince o diecisiete años hay chicas que quieren gustarle a algún chico!

Otro mensaje que encierra el blanqueamiento de la piel es el rechazo de la propia identidad. Y yo, que cada vez estoy más orgullosa de haber llegado a aceptarme tal como soy y de la liberación que eso me ha supuesto, y que lucho por que las mujeres, de cualquier fenotipo o constitución, se sientan a gusto consigo mismas, cuando capto los mensajes (no tan) subliminales de estas acciones, me revuelvo.

Pero ¡espera! Como decía Super Ratón: «No se vayan todavía, ¡aún hay más!». Esta mujer es modelo. Eso implica que pudo pagarse un billete de avión y una estancia en Londres, además de los ciento veinticinco mil euros que abonó por el tratamiento. Ella, que es una referente en África, donde las adolescentes no disponen ni de esas cantidades ni de esas posibilidades. ¿Cuántas de las chicas que son superfans de esta modelo no van a querer hacer lo mismo que hizo ella? Querrán hacerlo. Y lo harán, pero en versiones clandestinas, más baratas y muchísimo más peligrosas. Es decir, van a exponer su salud (no quiero decir su vida, aunque también) para emular a una mujer que rechaza tanto su color de piel que lo ha rebajado tres tonos. Y eso es lo que está diciendo al final: que no quiere ser negra. El caso es que yo, si pudiera, le preguntaría: «¿Y de qué te sirve esto, querida? Puedes aclarar tu piel tres tonos, cinco o los que quieras. Puedes estirar y desrizar con química tu cabello tanto como te apetezca, pero tus rasgos negroides siguen estando ahí, después de todo, delatando esas raíces tuyas de las que rehúyes». ¿Vale la pena? No, para mí no.

Dicho esto, voy a volver a insistir en el derecho de cada una a hacer lo que quiera con su cuerpo. Al final todo esto va ligado a las elecciones que cada persona hace con relación a su estilo de vida: tú decides libremente ir al gimnasio o no, alimentarte bien o no, fumar o no, beber cada día o solo los fines de semana o nunca; tú decides si fumas porros o no los fumas, o si tomas otro tipo de drogas o no, tú decides si mantienes relaciones sexuales seguras o no. Tú decides. Pero, por favor, que tu decisión sea informada.

Conocemos muy bien los riesgos del alcohol, del tabaco, las drogas, el sexo sin protección..., pero sobre los peligros del alisado del cabello y del aclarado de la piel no sabemos tanto. O no sabemos nada. No sabemos, por ejemplo, que los productos que se usan para alisar el pelo contienen ingredientes que son disruptores hormonales. Esto quiere decir que son productos que pueden producir cambios hormonales en tu cuerpo: en una niña pueden adelantar la menstruación; en una mujer adulta pueden acelerar la menopausia. Muchas cremas alisadoras contienen lejía, y las que no contienen lejía contienen otros productos igualmente dañinos, además de que todos tienen una base de petrolato que entra en contacto con el cuero cabelludo... y pasa a la sangre.

Tampoco sabemos que, analizados miomas uterinos de

mujeres afroamericanas, se han encontrado en ellos las mismas sustancias que contienen las cremas alisadoras. Así que en realidad, aunque vemos unos daños inmediatos en nuestro cabello y nuestro cuero cabelludo (quemaduras, daño en la estructura del cabello, aumento de la porosidad del pelo), hay otros daños que los alisadores causan a largo plazo que desconocemos, como son la alopecia cicatricial, derivada del uso de químicos y planchas en el pelo, miomas uterinos, como ya te he dicho, y daño endocrino relacionado con los disruptores hormonales que contienen.

En 2015 asistí al evento Tejiendo Esperanzas, en Cali (Colombia), invitada por la Amafrocol,[28] Asociación de Mujeres Afro Colombianas. Participé como ponente y como parte del jurado del concurso de peinados que tuvo lugar. En la jornada de ponencias, tuve el placer de conocer y escuchar al doctor Diego Valencia Lucumí, especializado en cirugía plástica, que habló sobre los peligros del alisado del cabello. En el apartado de las conclusiones, el doctor Valencia recomendaba campañas de salud pública para el uso seguro de los alisados químicos, así como proporcionar formación sobre peinados más amigables con el cuero cabelludo. Al terminar la charla, oí a varias mujeres que llevaban el pelo alisado decirse entre ellas que iban a dejar de alisarse. Así que imagínate lo reveladora que fue esa ponencia. Y por eso vuelvo a la importancia que tiene el activismo estético.

Otra de las cosas que dijo el doctor Valencia, y que se me quedó grabada a fuego, fue que usar alisados químicos era suicidarse lentamente. Y, como no quiero eso para ninguna mujer, no quiero que ninguna mujer ponga su vida en riesgo de esta manera, sigo con mi activismo, sigo proporcionando toda esta información para quien la quiera; para que así pueda de-

28. Encontrarás la página de Amafrocol en Facebook.

cidir teniendo información veraz sobre los productos que nos ponemos en la cabeza.

También te he hablado, si recuerdas, del *apartheid* estético. Sí, ya sé: es bastante controvertido relacionar el *apartheid* con cuestiones estéticas. Lo sé. Pero es la mejor manera que he encontrado para definir lo que nos pasa a las personas negras con el acceso a productos para cuidar de nuestro cabello y de nuestra piel. Lo que yo denomino *apartheid* estético es el hecho de tener al alcance pocos productos específicos para el cuidado de la piel y del cabello afro, y que los que hay tengan un coste más elevado que la mayoría de productos genéricos para el cabello o la piel.

Déjame hacer aquí un breve inciso. Ojo, porque no digo que no haya productos de calidad a nuestro alcance. Es de agradecer que haya tiendas online[29] en las que podemos encontrar buenos productos para nuestro cabello y nuestra piel. La lástima sigue siendo, como ya he dicho, el precio. Además, el tema del precio no es algo que venga fijado por estas tiendas; si entras en ellas, verás que las diferencias en los precios son mínimas. El tema es que, como tienen que importar estos productos, la mayoría de las veces desde Estados Unidos, los aranceles y demás impuestos encarecen el precio.

Cerremos el inciso y volvamos a la cuestión del *apartheid* estético. Como te digo: pocos productos (en comparación) y a mayor coste. Para que te hagas una idea: por 1,25€ tienes un

29. Te hablo de tiendas online porque es donde suelo comprar los productos para mi pelo y el pelo de mis hijas. Las que merecen toda mi confianza, y a las que estoy enormemente agradecida por su existencia, son Peinando Nubes, United Minds, Sofía Black Shop y Talaku. Búscalas en internet y, si tienes dudas sobre alguno de sus productos, Fina (Peinando Nubes), Deborah (United Minds), Sofía (Sofía Black Shop) y Neus (Talaku) estarán encantadísimas de ayudarte y asesorarte en todo lo que necesites. Palabra.

bote de champú de 36 ml de la marca H&S.[30] Haciendo una búsqueda en estas tiendas especializadas, he encontrado que el precio de los champús más económicos está a partir de los tres euros. Es decir que, si quiero un producto específico para mi cabello, tengo que gastarme casi 2,5 veces más que en un producto genérico.

Me gastaré solo 2,5 veces más como mínimo. Si además quiero un champú que no contenga productos innecesarios como sulfatos, ftalatos y parabenes, el precio se encarece todavía más llegando a precios similares a los que tienen los productos de marcas profesionales que suelen venderse en peluquerías o tiendas especializadas. A esto es a lo que me refiero cuando hablo de *apartheid* estético.

Con el maquillaje pasa lo mismo. A día de hoy, afortunadamente, hay marcas más económicas que tienen maquillajes para pieles oscuras (Kiko, por ejemplo, tiene algunas bases), y Rihanna ha lanzado su marca, Fenty Beauty; pero no quedan demasiado lejos en el tiempo los años en los que, para comprar una base para pieles oscuras, había que tirar de marcas de maquillaje profesional (M·A·C, Bobbi Brown). Yo no podía ir al supermercado o a la perfumería de confianza a comprarme una base de maquillaje. Eso implica que, si en determinadas perfumerías se encuentran bases de maquillaje a partir de cuatro euros, yo tenía que gastarme como mínimo ocho veces más.

Puede que ahora me digas que tú tampoco te gastas cuatro euros en una base de maquillaje, porque te la compras de la marca X, que cuesta más. Y yo te diré que me parece genial; pero no pases por alto que, si quieres maquillarte y no quieres

30. En Google Shopping, siguiendo este enlace, tercer resultado: <http://bit.ly/champus-google>. Por encima, todavía hay un par o tres de resultados más, así que no es el champú más barato.

(o no puedes) gastar más, tienes un rango de precios y marcas que empiezan en los cuatro euros, y no en los 12,95 €, que es el precio al que se vendía en Kiko la base de maquillaje para pieles oscuras. Hablamos ya de un precio tres veces superior. La primera vez que entré en Kiko y vi una base para pieles oscuras a 12,95 €, sentí ganas de llorar. Exagero... pero no tanto.

#EstadoEspañolNoTanBlanco

¡Qué importante es verse reconocida, amiga! Creo que no hago otra cosa que hablar de esto. Es importante sentirse reconocida y es importante pertenecer. Sobre todo cuando una se encuentra en esos años en los que está forjando su personalidad. Iba a decir «En esos años en los que una está forjando su identidad», pero es que yo me he visto forjando, o reforjando, mi identidad en la treintena. Lo que me trae a la cabeza que identidad y personalidad son construcciones en evolución constante, y así es más bonito.

Me he reconocido siempre como mujer española. O lo he intentado, más bien; pero en la edad adulta ha sido cuando he entendido que no encajo en el constructo de españolidad que tienen la mayoría de personas en su cabeza. Puestos así, ¿qué es ser española? ¿Por qué no puedo ser percibida como española? Es más: ¿por qué, si digo que soy española, la persona que tengo delante se cree con derecho a preguntarme por todo mi árbol genealógico hasta llegar a ese ancestro mío que vino de África? Decir que soy española nunca es suficiente.

La siguiente pregunta que se le viene a mi interlocutor a la cabeza si le digo que soy española es: «Bueno, y si eres española, ¿por qué eres negra?». Y ahora hago un inciso y te vuelvo a recomendar, si no lo he hecho ya, que leas el libro de Rubén H. Bermúdez, titulado *Y tú, ¿por qué eres negro?* Porque, mal que me pese, esa es la siguiente pregunta que se hace la persona a la que le respondo que soy española. «Si eres española, ¿por qué eres negra? Porque, claro, la mayoría de personas españolas, no son como tú.»

Y esta, te lo voy a decir, es una justificación muy burda. Fíjate en que, en cambio, si al preguntarme por mi nacionalidad, dijese que soy francesa o inglesa, ya nadie preguntaría nada más. Se acepta, sí, he dicho «acepta» y no me he equivocado, que haya personas negras inglesas, francesas, holandesas, alemanas... pero ¿españolas? Españolas no. Cuando eres percibida así, como La Otra, como la que siempre es De Fuera, autodesignarse como española se convierte en un ejercicio de fe y de reafirmación constante. O sea, que te puedo decir que yo soy española por convicción, pero no porque La Sociedad «me deje», sí, he dicho «me deje ser», me permita, ser española. Por eso me pareció bellísima la campaña que se puso en marcha en Twitter el verano de 2016 bajo la etiqueta #EstadoEspañolNoTanBlanco. El propósito de la campaña era mostrar la heterogeneidad de esta España, que es plural y diversa desde hace siglos, no desde hace veinte años, cuando empezaron a alarmarnos con las Olas Migratorias.

Muchas personas no blancas compartieron su *selfie* para que se viera eso: que el estado español no es tan blanco; que existimos personas españolas con otros tonos de piel, y que no hemos venido de ningún sitio: hemos estado siempre aquí. Recuerdo que estuve retuiteando todas las fotos que vi bajo la etiqueta #EstadoEspañolNoTanBlanco porque me parecían todas maravillosas. Me parecía una oportunidad preciosa de visibilizarnos a todas esas personas a las que nos niegan la voz, el pertenecer y el ser cuando se habla de España. Todas las fotos eran de personas no blancas orgullosas de ser como son físicamente, y declarándose españolas. Insisto: declararme española ya es más un ejercicio de convencimiento que de otra cosa, tal y como están las cosas.

La campaña traspasó Twitter y llegó a los medios de comunicación. Tanto la prensa escrita como algunos canales de televisión se hicieron eco de esta, y me pareció maravilloso. Los medios, en su mayoría, captaron el propósito de la misma: concienciar a la población blanca española de que hay personas españolas no blancas, que todas formamos parte de lo mismo y que, precisamente por eso, exigimos respeto, y que dejemos de ser tratadas como personas de segunda. Evidentemente, hubo sujetos indeseables que aprovecharon la etiqueta para lanzar mensajes cargados de odio, pero esos sujetos no tienen cabida en este libro. Si entras en Twitter y tecleas #EstadoEspañolNoTanBlanco podrás ver todas estas fotos preciosas de las que te hablo.

Otro proyecto que da visibilidad a la comunidad española no blanca es «Nadie nos ha dado vela en este entierro».[31] Este proyecto audiovisual surgió a finales de 2017 cuando saltaron las alarmas en toda España a raíz del *procés* de independencia en Catalunya. En ese momento Lucía Asué Mbomío puso en marcha este proyecto de entrevistas realizadas en Madrid, y que ha contado con la colaboración de Ken Province en Valencia para la realización de un par de entrevistas. En el canal de Youtube podrás ver las entrevistas a personas no blancas nacidas en España, o criadas Aquí desde la infancia. Podrás acercarte a su percepción sobre la identidad y seguro que aprenderás muchas cosas. Porque España no es tan blanca como nos la pintan.

31. Aquí podrás ver las entrevistas, en el canal de Youtube de «Nadie nos ha dado vela en este entierro»: <http://bit.ly/vela-entierro>.

REFERENTES

Te lo voy a repetir: los referentes son importantísimos. Y tenerlos en la niñez y en la adolescencia es crucial. Cuando se estrenó *Enredados*,[32] mi hija menor me decía que quería tener el pelo como Rapunzel: largo (largo no, ¡eterno!) y rubio. En esos momentos yo le podía decir, al menos, que su pelo era bonito tal y como era, y podía entrar en Instagram y enseñarle muchísimas cuentas de niños y niñas con el pelo afro. Si te gustan esas fotos, por cierto, no te pierdas las cuentas en Instagram de @frobabies o @culryhairmagkids. Desde ellas, podrás llegar a otras muchas cuentas de niños y niñas con el pelo afro que podrás ver con tus peques para ayudarles a que se identifiquen.

Más allá de esa identificación, como te digo, hay que tener referentes. Es una suerte tenerlos. Te lo dice alguien que creció sin referentes de personas negras en España. Puede que eso también me condujera al activismo. Siento que, ahora

32. *Enredados* (*Tangled*, en la versión original) es una película de Disney que cuenta la historia de la princesa Rapunzel que, como recordarás, vivía encerrada en una torre y tenía una melena interminablemente larga. Dejémoslo aquí para evitar hacer *spoilers*.

como adulta, está en mi mano contribuir de alguna manera para que las generaciones futuras tengan referentes. Y no es porque yo me considere referente, sino porque también puedo ser puente hacia otros referentes de la comunidad africana y afrodescendiente en España. Ese es otro de los motivos que me llevó a abrir el blog.

Hasta hace relativamente poco, hasta 2010 o así, prácticamente no había contenidos en español para mujeres negras. O solo había uno, que yo supiera: *AfroHair*, el blog de Tris. A Tris[33] tengo que agradecerle ser la precursora dentro del *afroblogging* en la escena española. Sin ella, puede que yo no me hubiera animado a crear mis propios contenidos. Ella me hizo ver que yo también podía publicar y compartir lo que sabía. Sin embargo, hasta que encontré el blog de Tris, y suerte de internet, ¿dónde podía encontrar consejos para cuidar de mi pelo y de mi piel? ¿En las revistas que venden en los quioscos? Ni de coña. En esas revistas (*Elle*, *Glamour* y... no sé, supongo que hay más, pero no conozco sus nombres) nunca había contenidos para mí. A ver, podía leer en ellas las tendencias sobre moda y tal, pero en cuanto a consejos para el cuidado de mi pelo y de mi piel no me servían absolutamente de nada. Supongo que por eso nunca las compré (ni las compro ahora, vaya). Así que, de adolescente o joven, no tenía muchos espacios a los que recurrir para saber cómo podía cuidarme, cómo podía cuidar de mi imagen personal. No había contenido. Y entonces apareció internet y fue maravilloso.

Internet, entre todas las cosas malas que tiene y en las que no me voy a centrar, también tiene cosas buenas, y es que permite un par de cosas interesantes. Por un lado, con internet las personas decidimos qué contenidos e informaciones consumimos. Atrás quedaron los tiempos, como cuando yo me

33. Puedes leer a Tris en <http://www.afrohair.es>.

crié, en los que la televisión solo ofrecía cuatro canales, dos estatales y dos autonómicos, y, a nivel de prensa escrita, había lo que había y punto. Con la aparición de internet tengo acceso a la información que quiero o necesito. Entro en un buscador y tecleo lo que quiero ver y, ¡tachán!, ahí lo tengo.

Este hecho, siendo una mujer negra que quiere cuidar de su imagen personal, me permitió acceder a contenidos que me podían interesar, sobre todo a través de Youtube: con la plataforma de vídeos tenía acceso a contenidos publicados por otras mujeres negras con las que sí podía sentirme identificada, que sí podían ofrecerme recursos que me servían. Se me abrió el cielo. Por otro lado, internet permite a cualquier persona convertirse en generadora de todo tipo de contenido. ¿Tienes algo que contar y lo quieres compartir? La red es tuya. ¿No tienes nada que contar y también lo quieres compartir? Adelante.

Así que cuando empecé mi andadura en Youtube, llegó un momento en el que me di cuenta de que mis contenidos podían ayudar a muchas mujeres de distintas edades que, igual que yo, no se ven reflejadas en los medios generalistas. De ahí la importancia de que las mujeres negras creemos nuestros propios contenidos. Por nosotras y para nosotras. Internet abre una ventana a informaciones y a personas que pueden convertirse en referentes para nosotras como personas negras en cualquier ámbito. Pero, afortunadamente, también podemos salir de la virtualidad y acudir a foros, eventos, coloquios en los que relacionarnos en primera persona con otros referentes de la comunidad.

En Barcelona, la Asociación Hibiscus organiza los encuentros Black Barcelona Referentes,[34] en los que una vez al mes

34. Puedes buscar su página en Facebook: Black Barcelona. Desde ella, podrás acceder a los eventos creados cada vez que organicen una actividad.

presentan a una persona que consideran referente dentro de la comunidad africana y afrodescendiente de la ciudad. En Madrid también hay espacios en los que estar en contacto con personas referentes: el Espacio Afro[35] es otro proyecto colectivo que, además de celebrar un festival anual (igual que Black Barcelona), organiza actividades y eventos durante el resto del año. Las Flores del Colectivo EFAE,[36] Empoderamiento Femenino Afro Español, también organizan actividades en Madrid dirigidas, mayoritariamente a mujeres, ya que se articulan como un colectivo con la idea de ser y ofrecer un espacio seguro para feminidades afrodescendientes en España.

En Valencia, desde el espacio cultural United Minds,[37] Deborah y Kenny ofrecen charlas y talleres, además de su librería y su tienda de artículos relacionados con África. Es necesario saber de la existencia de todos estos espacios; pero también es necesario saber que el movimiento africano y afrodescendiente en España no ha empezado hace cuatro días, y que hace muchos años que otras personas iniciaron la actividad reivindicativa y empoderante en España. Puede que actualmente, es lo que siento yo, se esté produciendo algo así como un relevo generacional, y ahora, con las nuevas-viejas tecnologías, nos tenemos más al alcance de la mano.

Recuerdo cuando a finales de septiembre de 2016, desde el Centro Panafricano de Madrid, fui invitada a participar en las actividades que organizaban con ocasión de la Feria del Libro Africano y la inauguración del Centro. Tuve que llevarme a mis hijas y tengo que decirte que para la mayor, que por en-

35. Afroconciencia también está en Facebook: Espacio Afroconciencia.

36. Puedes visitar su blog en <https://efaeblog.wordpress.com>.

37. Entra en la web de United Minds en <http://www.unitedminds.es> e intenta resistirte a comprar libros y más libros.

tonces tenía nueve años, fue un fin de semana excepcional; pero no solo lo fue para ella. También lo fue para mí, por todo lo que pude enseñarle. Nada más entrar, encontramos los puestos de libros de United Minds y de la librería del Centro Panafricano. Imagina lo maravilloso que fue para mí poder enseñarles a mis hijas libros de todo tipo escritos por personas negras. Novelas, ensayos, cuentos infantiles..., todos escritos por personas negras. Mis hijas miraban todos aquellos libros con sorpresa, porque evidentemente en el colegio no les hablan de autores africanos ni afrodescendientes. En la escuela, igual que cuando yo fui al colegio, les ofrecen una imagen muy sesgada de África y de la afrodescendencia. Y, como afrodescendientes que somos mis hijas y yo, me siento en la obligación de conectar a mis hijas con esa Cara B del disco, con esa otra versión de la historia que no les van a ofrecer fuera de la familia. Bueno, me explico: sí que se les va a ofrecer fuera de la familia si la buscan en espacios como los que, por ejemplo, he indicado más arriba; pero qué mejor que el conocimiento de parte de su historia y de su familia empiece en su propia casa, ¿verdad? Bueno, que me distraigo. La cosa es que ese fin de semana en el Centro Panafricano de Madrid resultó realmente enriquecedor para mí y para mis hijas.

Otra de las cosas que hice ese fin de semana fue intentar presentarle a mis hijas a la mayoría de ponentes que participaron en las charlas y debates. Les pude presentar a escritores y escritoras, poetisas, directores de cine, periodistas, catedráticos y profesoras de universidad, fotógrafos... Para mí fue maravilloso presentarles todas esas personas a mis hijas. Era algo así como poder decirles (para mis adentros, en realidad): «¿Veis, hijas? Mirad qué cantidad de profesionales hay aquí de distintos ámbitos. Podéis fijaros en todas estas personas y llegar a ser lo que son cualesquiera de ellas. Podéis llegar a ser lo que queráis ser».

Por eso es importante tener referentes. Es importantísimo que nuestros peques vean que pueden ser lo que quieran ser a través de lo que ya han hecho y están haciendo otras personas de la comunidad africana y afrodescendiente. También es la manera de neutralizar, como ya he dicho antes, esa imagen que en el colegio, y fuera de él, en los medios de comunicación y en muchas otras partes, les ofrecen de África: de los negritos que pasan hambre y a los que hay que mandarles comida, de las enfermedades y las guerras.

África y la afrodescendencia, afortunadísimamente, es mucho más que eso y es nuestra obligación como madres y padres afrodescendientes conectar a nuestros peques con eso porque, tal y como reza el dicho: «Hasta que los leones no tengan sus propios historiadores, las historias de cacería seguirán glorificando al cazador».

Ser mujer negra en España

Sí. Este es el título del libro que tienes entre manos, y que espero que estés disfrutando hasta el momento. Como he dicho al principio, esta reflexión surgió como respuesta al vídeo que Ntasha7189 publicó ese mismo año (2013) hablando de cómo se sentía como mujer negra en España. Ella es estadounidense, y cuando vi el vídeo sentí que yo podía hablar al respecto.

Lo estás viendo mientras lees este libro: vivir en España siendo una niña, una adolescente, una joven o una mujer negra no es fácil. Si eres una mujer negra como yo, ya lo sabes; si no eres una persona negra, espero que te estés haciendo una idea. No es fácil vivir como minoría en cualquier sociedad, y por eso he decidido escribir este libro, para hablar de lo que he vivido mientras he ido creciendo. Cuando publiqué ese vídeo, comenté que a mucha gente le choca que yo me defina como española. Y lo mantengo: hay gente que todavía se sorprende demasiado cuando digo que nací en Barcelona. El caso es que no hablo de personas mayores; hablo de gente de todas las edades, incluso más jóvenes que yo. Gente que se sorprende y me pregunta cosas como «¿Cuánto tiempo llevas aquí, que hablas tan bien español?», tal y como te he contado en una de las anécdotas. Y preguntan así, como para hacerme notar que soy diferente por si yo no lo sabía.

Otra cosa que me encuentro es con la sorpresa de algunas personas cuando saben el nivel de estudios que tengo, o cuando saben dónde trabajo. A veces parece que hay ciertos niveles de educación y de empleo a los que las personas negras no podemos optar, que es raro, que no nos corresponde; y hay quien, siendo mucho más osado, nos acusa de «venir» a robar el trabajo a sus hijos. Cuando publiqué el vídeo, evidentemente, los primeros comentarios que llegaron fueron de seguidoras de mi blog y, por lo tanto, de mujeres negras. Recuerdo muy claramente que una de las mujeres negras que comentó dijo: «Por fin alguien habla de esto».

Fue impresionante la cantidad de mujeres negras que comentaron, tanto en el canal de Youtube como en el blog, compartiendo experiencias muy similares. También comentarios de mujeres blancas, madres de niños y niñas africanos y afrodescendientes compartiendo lo que les decían a sus peques a veces. La respuesta fue muy positiva, en cuanto a que me parecía genial que todas esas mujeres que necesitaban compartir sus vivencias, todas similares a las mías, pudieran hacerlo. Entonces leí en *Vice* un artículo titulado «Ser inmigrante en España es una mierda».[38] En el artículo, un hombre blanco hablaba básicamente del racismo institucional que sufren las personas africanas que vienen a España.

Leí el artículo y, si bien me gustó que una publicación como *Vice* hablase de las trabas burocráticas que ponen a las personas que vienen de África, me pareció que se había perdido la oportunidad de dar la voz a personas africanas que han pasado por esa vivencia. De nuevo, se volvía a hablar de per-

38. Puedes leer el artículo de Pol Rodellar en *Vice* aquí: <http://bit.ly/vice-inmigrantes>.

sonas negras sin contar con personas negras, que es lo que ha venido pasando siempre. Y luego pensé: «Sí, ok, está bien que se visibilice el racismo institucional que viven los extranjeros de origen africano, pero, y de las personas negras que hemos nacido y vivimos en España, ¿quién habla?».

Es esa sensación de estar en el limbo, no sé si me entiendes. Cuando se habla de racismo, hasta hace poco, siempre se ha relacionado con la inmigración. Cuando se habla de personas negras se suele hablar de las personas que vienen de África. Se empiezan proyectos y más proyectos e iniciativas para «ayudar» a personas africanas en España, o proyectos de cooperación en África; pero nadie o casi nadie repara en la afrodescendencia, en todas esas personas que hemos nacido en España y somos españolas... por convicción, la mayoría de veces, y también desde un punto de vista administrativo. Las pocas veces que se nos nombra es para mal llamarnos inmigrantes de segunda generación cuando no somos inmigrantes. En contadas ocasiones somos reconocidos por la Mayoría Blanca como personas españolas.

Así que pensé «esta es la mía». Escribí a *Vice* y dije exactamente eso: ¿quién habla de la realidad de las personas como yo, que somos negras y españolas? Y me dieron la oportunidad de escribir un artículo. Era marzo de 2015. Aproveché el vídeo que había publicado dos años antes, le di un par de vueltas y publiqué un artículo titulado «Ser mujer negra y española no mola nada».[39] Lo titulé así, evidentemente, para llamar la atención de quienes lo leyeran, y siguiendo un poco la línea del «Ser inmigrante en España es una mierda». Lo voy a decir ahora para que quede claro: no creo que ser mujer negra y española no mole. Es duro a veces, pero a mí me mola ser como soy y ser quien soy, vaya eso por delante. El título,

39. Mi artículo en *Vice*: <http://bit.ly/vice-mujer-negra>.

reitero, era más una llamada de atención, un gancho, para que un público mayoritariamente blanco se pusiera en mi situación y en la de otras mujeres como yo.

Y, bueno, después de la publicación del artículo, hubo de todo. He de reconocer que la mayoría de los comentarios fueron positivos, de personas blancas que nunca antes se habían planteado cómo es ser minoría en tu propio país, y me agradecieron que hubiera puesto el foco ahí. Evidentemente, a otro sector no le hizo ninguna gracia, y hasta se permitían el privilegio de negar mi capacidad (y mi derecho) de autodesignarme como española. Y, como no podían mandarme a mi país, porque el hecho de que nací donde nací es innegable, me mandaban al país de mis padres, o a la selva directamente.

Finalmente, y ante tanto ataque, no solo a mí sino también a otras personas negras que comentaban en el vídeo de Youtube, ya que estaba enlazado en el artículo, tuve que terminar por desactivar los comentarios, entre otras cosas. Por seguridad. Este tipo de reacciones deja muy claro el hecho de que hay Alguien que considera que hay un «español puro» que es físicamente de una forma determinada, y que cualquier persona que no encaje en ese estándar no puede osar autodesignarse como española.

A mí esto me hace pensar mucho en varias cosas, a saber: que estos comportamientos son herencia de un país colonizador, que ha pisoteado, masacrado, expoliado y abusado en todas las formas posibles de otros países y que ha esclavizado a otras personas bajo pretexto de creerse superior. La otra cosa en la que me hace pensar esa actitud es en la necesidad de que en los colegios se enseñe la verdadera historia de España, y que se sepa que en España ha habido personas negras desde hace siglos. Es que no puede ser de otra manera. ¡Estamos solo a catorce kilómetros de África, por favor!

Si en los colegios, si en las clases de historia, se enseñase toda la historia de España, se sabría esto, y no se pasaría de puntillas por la colonización, así, de pasada. Si se hablase en profundidad sobre la colonización, sería percibida como el capítulo horrible y vergonzante que fue y no se seguiría pensando en que los españoles fueron esa gente superbuena que fue a evangelizar a los salvajes de allende los mares. No, contémoslo todo y contémoslo bien para que podamos entender que España es el resultado de la mezcla desde hace siglos, no desde hace un par de décadas cuando estalló el «Fenómeno Migratorio». Es necesario ese cambio. Es necesario que a nivel educativo se repare todo ese racismo institucional en el que vivimos todos los días. Es justo y necesario.

Al final

Esto se acaba, y creo que necesito cerrar. No sé si son conclusiones o reflexiones o qué son. O igual es solo la necesidad de decir que esto se acaba. A lo largo de este libro he intentado compartir contigo las experiencias que he tenido durante lo que llevo de vida, y que son también comunes a otras mujeres negras de mi generación.

Ojalá haya sido capaz de, aunque solo en algún momento, arrancarte alguna sonrisa, como te dije al principio que me proponía, y que haya traído a tu memoria recuerdos de tu infancia y de tu juventud (y espero que no te hayan dolido; si ha sido así, te pido mil perdones). Sobre todo espero que hayas pasado un buen rato.

También he intentado compartir contigo las reflexiones que todas estas vivencias suscitan en mí, y lo he hecho con la intención de invitarte a que con esta lectura, en vez de levantar tus muros, esos que pueden hacer que en estas líneas no veas más que victimismo y queja, te pongas por un momento en mi lugar y veas cómo es, desde mis ojos, ser mujer negra en España.

Webgrafía

Como has podido observar, el texto del libro que ya has terminado está salpicado de notas al pie con todos los enlaces a sitios webs. Son todos los enlaces que he considerado útiles para completar y obtener una mejor comprensión de lo que te he explicado. No obstante, me ha parecido una buena idea volver a compilar todos los enlaces juntos en este apartado que he llamado webgrafía. Lo he llamado así porque casi todas las notas al pie hacen referencia, como ya te he dicho, a enlaces, así que no podía llamarlo bibliografía. En cualquier caso, aquí los tienes todos en el mismo orden que aparecen en el libro.

Los enlaces están acortados; me ha parecido lo más acertado y lo más sencillo: si tienes que teclear un enlace en tu ordenador o en tu teléfono móvil para consultar, es muy práctico que el enlace sea corto y fácil.

1. «Ser mujer negra en España», mi vídeo, el que originó todo esto: <http://bit.ly/mujer-negra-esp>.
2. Este es el enlace al vídeo de Ntasha, al que di réplica con mi vídeo «Ser mujer negra en España»: <http://bit.ly/ntasha>.

3. *Locas del Coño*, la revista colaborativa en la que participo: <http://www.locarconio.com>.

4. Mbomío, Lucía Asué, *Las que se atrevieron*, Madrid, Sial Pigmalión, 2017.

5. El blog del Domund: <http://www.domund.org>.

6. Web de la ONG Manos Unidas: <http://www.manosunidas.org>.

7. Fragmento del monólogo de Trevor Noah sobre la mosca de Unicef (en inglés sin subtítulos): <http://bit.ly/trevor-noah-unicef>.

8. Anuncio de la ONG Educo en Youtube: <http://bit.ly/ongeduco>.

9. *Los Mundos de Yupi* era un programa infantil (cuando en la televisión pública había programación infantil desde las cinco, que era cuando salíamos del colegio hasta aproximadamente las ocho). Era un programa educativo, del estilo de *Barrio Sésamo*, con muñecos, marionetas y muchas canciones. Aquí el primer capítulo completo: <http://bit.ly/mundosyupi>.

10. Victoria Santa Cruz. *Me gritaron negra*: <http://bit.ly/vsantacruz-negra>.

11. Anuncio del helado Negrito, de Frigo, de 1985: <http://bit.ly/negrito-frigo>.

12. *El Tiempo es oro* era un programa cultural que daban los domingos por la tarde en Televisión Española, presentado por uno de los presentadores más míticos y carismáticos que ha tenido España, Constantino Romero. En este enlace puedes ver un programa completo del año 1988: <http://bit.ly/tiempo-oro-tve>.

13. Madame C.J. Walker, la primera empresaria afroamericana. Fundó la Madame C.J. Walker Manufacturing Company, una empresa dedicada a la fabricación, distribución y venta de productos cosméticos y para el cabello para personas negras.

14. Vídeopost sobre el libro *Inventores y científicos negros*. <http://bit.ly/inventores-negros>. Antoine, Yves, *Inventores y científicos negros*, Barcelona, Wanafrica, 2014.

15. *La hora de Bill Cosby* era una comedia que contaba el día a día de la familia Huxtable y en la que los protagonistas eran el propio doctor Huxtable (protagonizado por Bill Cosby), su mujer y sus cuatro hijos: Denise, Theo, Vanessa y Rudy. Aquí tienes la entrada: <http://bit.ly/thecosbyshow>.

16. Chris Baz: «Querido Baltasar»: interpretado por el actor Emilio Buale: <http://bit.ly/querido-baltasar>.

17. «Escribir sobre racismo es violento», Rubén H. Bermúdez para Radio África Magazine. Rubén: <http://bit.ly/rma-ruben>.

18. Aquí tienes el enlace al canal de África en Youtube: <http://bit.ly/largoynatural>.

19. Anuncio de SoulGlo de la película *El Príncipe de Zamunda*: <http://bit.ly/soulglo_>.

20. Qué no decir a personas con el pelo afro: <http://bit.ly/cosaspeloafro>.

21. *Penetraitt* es un tratamiento de la marca de productos para el cuidado del cabello Sebastian. Es una mascarilla que fortalece y repara el cabello sometido al estrés causado por el uso de químicos y calor.

22. Tráiler del monólogo «Baby Cobra», de Ali Wong en Youtube: <http://bit.ly/aliwong>. El monólogo completo está en Netflix.

23. Discurso de Lupita Nyong'o en los Premios Essence: <http://bit.ly/lupita-essence>.

24. Escena de *How to Get Away With Murder* en la que Viola Davis se quita la peluca y se desmaquilla: <http://bit.ly/violapeluca>.

25. Vídeo: Cómo aumentar la autoestima de nuestros hijos afrodescendientes: <http://bit.ly/autoestima-peques>.

26. Historias de las lectoras en mi blog: <http://bit.ly/historias-lectoras>.

27. Artículo sobre el blanqueamiento de piel de Vera Sidika en *La Vanguardia*: *La Vanguardia* aquí: <http://bit.ly/verasidika>.

28. Amafrocol, Asociación de mujeres Afrocolombianas de Cali: <http://bit.ly/amafrocol>.

29. Tiendas especializadas en pelo afro: Sofía Black, United Minds y Peinando Nubes. Son mis favoritas y están en internet.

30. Precios de diferentes champús para el pelo: <http://bit.ly/champus-google>.

31. Canal de youtube de «Nadie nos ha dado vela en este entierro»: <http://bit.ly/vela-entierro>.

32. Tangled (en su versión doblada al español, *Enredados*) es la versión de Disney del cuento clásico de Rapunzel.

33. Afrohair, el primer blog sobre cabello afro en España: <http://www.afrohair.es>.

34. Black Barcelona en Facebook: <http://bit.ly/black-bcn>.

35. El espacio antes conocido como *Afroconciencia* también está en Facebook: <http://bit.ly/espacioafro>.

36. El blog de las flores de EFAE en <https://efaeblog.wordpress.com>.

37. El proyecto United Minds, en Valencia: <http://www.unitedminds.es>.

38. «Ser inmigrante en España es una mierda»: <http://bit.ly/vice-inmigrantes>.

39. «Ser mujer negra y española no mola nada»: <http://bit.ly/vice-mujer-negra>.